VERS LE BLEU

Salon du livre 2016.

À Chantal,
merci pour la belle
surprise d'avoir acheté
mon roman. Que
cette lecture soit pour
vous un beau chemin
vers le bleu.

Grand merci
et bonne lecture

JULIE GRAVEL

Vers le bleu

roman

LEMÉAC

Ouvrage édité sous la direction
de Marie-Josée Roy

La citation en exergue est tirée de Héctor Tizón, *Deux étrangers sur la terre,* Arles, © Actes Sud, 2002, traduit de l'espagnol (Argentine) par André Gabastou.

Les citations de Gaston Miron proviennent de *L'homme rapaillé,* Montréal, Presses de l'Université de Montréal, 1970. Les extraits ont été reproduits avec l'autorisation de la Succession Gaston Miron (Marie-Andrée Beaudet et Emmanuelle Miron).

Leméac Éditeur reconnaît l'aide financière du gouvernement du Canada par l'entremise du Fonds du livre du Canada pour ses activités d'édition et remercie le Conseil des arts du Canada, la Société de développement des entreprises culturelles du Québec (SODEC) et le Programme de crédit d'impôt pour l'édition de livres du Québec (Gestion SODEC) du soutien accordé à son programme de publication.

ISBN 978-2-7609-3334-7

© Copyright Ottawa 2011 par Leméac Éditeur
4609, rue d'Iberville, 1er étage, Montréal (Québec) H2H 2L9
Dépôt légal – Bibliothèque et Archives nationales du Québec, 2011

Imprimé au Canada

À Aurélie, ma princesse Camomille.

La vie est ce que nous en faisons.
Les après-midi d'automne, le vent fait bouger
la cime des arbres, le linge étendu au soleil,
mais ce qui est important, c'est le
vent et non ce qui bouge.

Héctor Tizón, *Deux étrangers sur la terre.*

TROIS

Novembre

Je songe à un départ.

À prendre l'air. De l'altitude. À déguiser cette promenade de rien du tout en une fuite pour toujours. Je songe à un départ. À courir droit devant jusqu'à la fin des terres. À découvrir l'Irlande ou le Portugal. Le Mexique, l'Antarctique, l'Espagne, le monde... Je songe à un départ. Au soleil qui s'éteint en tremblant dans la mer. À des arbres millénaires. Aux coloris insensés d'une langue étrangère. Je veux des ailes à mes chaussures, des plumes à mon chapeau. J'espère cette paix intérieure qui me donnerait le courage de n'amener avec moi qu'un très – très – léger paquetage. Car, oui, vraiment. Je songe à un départ.

Mais je ne sais pas partir.

À la place, je pose mes pas dans ces pistes empruntées mille fois déjà sur les pavés. Je sors pour acheter un livre, un journal, des crayons de couleur; trouver quelque part mon contentement dans une mise en scène élaborée pour plaire à tout le monde. Et dès que je lève les yeux, je retrouve les mêmes rues, les mêmes visages, les mêmes repères tristes et infatigables. J'entends les mêmes discours qui me donnent envie de partir ailleurs. Puis, l'hiver, encore, que l'on devine à ce ciel de neige, blanc à perdre haleine. À ce vent qui soulève la poussière et les feuilles mortes. Aux couleurs de la ville, délavées par un enchaînement de jours de pluie. Au ciel dépeuplé de ses oiseaux. Je frissonne. Sous les arbres du parc, deux hommes en imperméable jaune mettent l'automne en sac. Les érables, les peupliers et les bouleaux tendent au ciel leurs bourgeons comme les poings fermés des révolutionnaires. La Nature a complété son cycle et attend, les mains posées sur le ventre, qu'on la mette en terre.

Novembre. J'aime l'automne. Mais au moment où il s'étire en une longue suite de jours gris, pour moi, c'est déjà l'hiver. J'aime sentir l'air frais sur mes joues. Laisser la chaleur du thé gagner mes doigts transis. J'aime enfiler mon gros chandail de laine qui pique. J'aime devoir ranger mes draps d'été et mes belles jupes. J'aime le chant des feuilles sous mes pas. Le déferlement de couleurs et de parfums du marché où les récoltes s'empilent derrière les camions. J'aime refermer la porte de l'appartement derrière moi. Me sentir épargnée. À l'abri. Et rendue là, sentir que le monde ne m'atteint plus. Mais ne me parlez pas de cette entre-saisons qui avale tout après le jour des Morts, et qui s'illuminera d'artifice aux abords de Noël. En novembre, c'est dans la dépouille de l'automne qu'on se prend les pieds, son corps froid et raidi. Le beau de la saison s'est pris dans un collier d'oies blanches et il appartient, désormais, à un temps révolu comme celui du cinéma à deux dollars et de la démocratie.

De fines gouttes de pluie se détachent de la masse nuageuse et imprègnent mes vêtements. J'aime la pluie. Je voudrais pouvoir ne penser à rien. Profiter de l'ondée, courir dans les flaques d'eau. Mais chacun de mes pas me ramène, en pensée, à la lettre de Jonas que je garde dans le fond de ma poche. Une lettre retrouvée le jour même dans un tiroir et qui me laisse vaguement désorientée. Elle date d'au moins un an et me dit : *Désolé, Manue, mais je ne pourrai plus être amoureux de toi.* Jonas. Les promeneurs commencent à se tasser sous de grands parapluies noirs. Jonas. Les dernières lueurs du jour s'estompent rapidement derrière les maisons et la pluie se met à tomber plus fort. Jonas. J'étais sortie acheter des timbres et des pinceaux. Du citron vert et de la menthe. J'ai plutôt trouvé une large béance où laisser courir mon âme. Alors, je marche. Et à chaque pas : Jonas. Jonas. Jonas...

Je découvre et mesure les trois dimensions de mon corps grâce à la pluie qui imbibe mes vêtements. Lorsque le froid touche ma peau, je prends conscience de sa superficie sensible. Avec en poche quelques morceaux de verre et une feuille de chêne, je ne songe plus à rentrer chez moi ou à acheter le moindre pinceau. Je respire profondément. L'air frais est pur, il est près de cinq heures et je me sens libre. Enfin, presque.

Jonas. Je voudrais qu'il soit là pour réchauffer mes doigts entre les siens. Je pourrais lui raconter n'importe quoi. Que le monde est fou. Que la Terre ne me suffit plus. Que sa simple présence à lui m'apparaît comme une trêve. Je pourrais dissimuler mes mains dans les plis de ses vêtements. Lui demander de m'embrasser, tout en sachant qu'il ne le ferait jamais plus. Sinon sur les joues ou sur le front comme font les anciens amants. Car désormais Jonas est amoureux de Lennie. Et, oui, ça me tue.

J'entre au dépanneur pour acheter du chocolat noir. Le commis de service me lance un mauvais regard en prenant la poignée de monnaie que je lui tends. Moi, je lui souris. Avant de sortir, je jette un œil à la une des journaux internationaux. Le cœur du monde continue de battre sans moi, me dis-je en soupirant. Dehors, il s'est mis à pleuvoir de grandes trombes. Je l'aime, Jonas, mais c'est sans but. Sans espoir. Je l'aime comme on aime voir le soleil morceler les nuages après l'orage. Il me rassure. Pareil à ces chants d'oiseaux que l'on entend certains matins d'été, même en plein cœur de la ville, et qui nous font croire que toute nature n'est pas définitivement morte malgré l'omniprésence du béton et de l'asphalte. Et j'aurais voulu qu'il n'aime que moi.

Je brise un carré de chocolat et le pose sur ma langue. J'en laisse l'amertume fondre dans ma bouche, couler dans ma gorge, me donner soif. Je n'ai jamais été amoureuse de Jonas. J'ai toujours été incapable de lui offrir quoi que ce soit. De lui dire, moi aussi. Pourtant, je m'enflamme à son contact… je frôle ma démence, touche à ce qu'il y a d'animal en moi. J'aime sentir qu'il est là, tout près. Qu'il a besoin de moi. Je veux de ses mains sur mon corps. Je veux qu'il m'appartienne. Mais c'est par défaut que je l'aime. Presque par accident. C'est pourquoi il a dit, un jour, que c'était fini. Il a ouvert ses bras à d'autres filles. Puis, ç'a été Lennie.

Malgré les mois qui ont passé, je me rappelle parfaitement le poids de son corps sur le mien, le parfum de sa peau au matin, la rondeur de ses épaules, sa voix, plus rauque, à l'approche de l'extase. Mais désormais cela ne m'appartient plus, ne m'a jamais appartenu, en fait. Il est devenu mon meilleur ami. Et c'est mieux ainsi.

La pluie continue de noircir de larges flaques sur la chaussée. Mon manteau est trempé, mais je n'ai pas envie de rentrer. J'aime cette errance qui ne me mène nulle part. Le crépitement de la pluie. Et puis le défilement des rues m'apaise. Depuis combien de temps suis-je dehors ? Je ne sais plus. Je m'en fous. Le soir est venu pour annuler l'impression que mes repères s'écroulaient. Une bourrasque de vent m'éclabousse le visage de pluie et fait claquer les drapeaux devant le palais de justice. Je frissonne. J'enfonce mon nez dans mon foulard mouillé, maudissant le peu de résistance de mon corps au monde ambiant. Je voudrais savoir me perdre. Marcher jusqu'au soleil. Troquer cette caravane de jours tristes contre un peu de magie. Ne penser à rien. Je voudrais m'envoler. Vendre le chat. Les livres. Brûler les meubles. Les toiles, les tapis, les rideaux. Je voudrais faire mienne cette formidable insouciance qui donne envie de tout envoyer valser d'un coup. Celle qui nous fait mettre dans nos cheveux des fleurs volées dans le parterre de vieilles dames excentriques. Celle qui nous fait oublier les horloges, le réchauffement de la planète et le prix de l'essence.

Devant le magasin de poupées, un enfant auréolé de la lumière ocre qui déborde sur le trottoir dessine des cercles dans la vitrine. Je m'arrête, éblouie par la beauté simple du geste. Une femme s'impatiente à son côté. L'enfant plaque ses mains contre la vitre comme pour tester la résistance de cette frontière insoupçonnée. Il souffle de nouveau un nuage sur le verre. La femme insiste et le tire par le capuchon de son manteau. L'enfant tombe. Il jette à sa mère un regard stupéfait et avale un sanglot. Il demeure pétrifié, tandis qu'elle l'empoigne violemment.

C'est trop pour moi. Au moment où j'allais mettre un pied devant l'autre, à l'instant précis où j'allais enfourcher mon courage pour aller taper sur l'épaule de cette enragée pour la ramener un peu sur terre, je l'ai aperçu, lui. Un homme avec un sac énorme sur son dos et un chapeau mou sur la tête, s'avançant en tendant la main vers eux. D'où je me trouve, il semble désespérément seul. La femme s'éloigne avec son enfant dans les bras. Nous – lui et moi – nous retrouvons seuls sur le trottoir inondé, les yeux fixés sur cette scène qui s'achève avec les pleurs de l'enfant. Puis le regard de l'étranger croise le mien. Il me sourit, l'air désolé.

* * *

« Je suis perdu », me suis-je dit. En tout cas, il ne me restait pas une once de courage dans ma besace. L'Irlandaise avait tout fauché, laissant en moi une sensation d'échec – d'outrage – qui ne s'était pas volatilisée pendant le trajet en avion. Je ne savais même pas pourquoi j'étais ici, d'ailleurs. Je savais que j'aurais dû rentrer directement au Mexique et marcher un peu avant de retourner à la *cooperativa*. Je tremblais de tout mon pauvre corps dans mes vêtements trop minces. Constamment déséquilibré par le poids de mon sac, je posais les pieds sur les trottoirs de cette ville inconnue. Sans savoir où me mèneraient mes pas dans ce pays qui n'était plus le mien.

En plus, il commençait à pleuvoir. J'avais oublié novembre, son inéluctable ennui. L'entropie de la saison. La mort qui prend logis dans le regard des hommes. J'étais perdu. Manifestement, la chance était avec moi.

Vite, trouver un bout de pain, un café noir et dormir. Rayer mon nom de la carte du monde. Momentanément. Oui, dormir et m'effacer de ce paysage minable. De cette ville minable. De ce monde minable. Et repartir, embrasser ma fuite. Demain sera meilleur. Je touchais dans ma poche à *L'homme rapaillé*, le livre de Miron qui me suivait depuis le début de mon périple. Ses pages cornées, sa tranche cassée, ses mots usés… et moi, dispersé. Déraciné. Sans voix. J'en caressais les pages, effleurant du bout des doigts cette suite de mots invisibles, sans y trouver le moindre apaisement.

«On est meilleur sans ces liens qui nous clouent au sol», m'avait dit, déjà, un vieil Indien du Chiapas après qu'un incendie eut détruit sa cabane. Mais c'est justement à l'absence de pareils liens que j'avais mal ce jour-là. Au vide que je retrouvais, aussi vaste et austère qu'à mon passage précédent et qui m'obligeait à me mettre en quête de quelqu'un, de quelque chose, tandis que je suis atterré par la fatigue, par la faim, par le dépaysement. Effaré par l'ardente nécessité d'anéantir le silence en moi. Et à chaque fois, pourtant, je me jure : je ne reviendrai plus. Puisque plus rien ne m'attend ni ne m'appelle en ces lieux usés par le passage des saisons. Mais c'est toujours pareil, j'en viens à prendre un avion pour Montréal, à remonter aux origines de ma fuite et à me perdre.

J'essayais de me raconter que je n'avais besoin de rien au fond. Avec mes désirs coincés dans la poitrine, mon cœur apache dans la gorge, je fermais les yeux en espérant retrouver mes esprits. M'envoler ?... J'aurais tant voulu être de nulle part. Ne pas chercher à atteindre de point précis. J'aurais voulu pour seul bagage mon insoutenable légèreté. J'aurais voulu disparaître. Dormir. M'arrêter de fuir un instant seulement. Et j'avais si froid.

J'ai levé mon visage vers le ciel. Vers le murmure sensible des gouttes qui léchaient ma peau. Mais aussitôt, des éclats de voix m'ont tiré de cette vague absence au monde. Plus loin, quelqu'un parlait trop fort. J'ai alors ouvert les yeux. Rien que pour voir. Mon esprit n'était pas encore complètement redescendu sur terre quand j'ai vu l'enfant à quatre pattes. Son bonnet rouge et son coupe-vent défraîchi, maculé de pluie jusqu'aux coudes. Il devait avoir à peu près trois ans. Une femme qui devait être sa mère gesticulait avec un parapluie près de lui, folle à lier. Je m'attendais presque à la voir le rouer de coups de pieds. Je me suis approché d'eux dans l'espoir de leur éviter une tempête. Une petite apocalypse. Une fin du monde. Je leur ai tendu la main pour les aider à tenir debout. Mais mon geste est resté suspendu lorsque la femme a empoigné son enfant, de sa main libre, pour s'éloigner. Figé dans l'or liquide qui s'écoulait du magasin de poupées, je ravalais une à une les phrases que j'aurais voulu dire. Et moi, impuissant, j'étais prêt à m'effondrer.

J'ai levé les yeux de terre pour me raccrocher à quelque chose. À un arbre, une lumière, n'importe quoi. Un visage. Un caillou. Un chat noir. Je sentais la fatigue me dissoudre corps et âme. Avec ma détresse comme une couverture posée sur mes épaules, j'aurais voulu dormir sur mes pieds, comme ça, au milieu du trottoir. Et alors je l'ai aperçue – elle –, fière tel un orme épargné, debout sous la pluie glacée. Elle me regardait. Elle incarnait ce que le reste du monde devait prendre pour une beauté ordinaire. Elle devenait ma lueur. Un point d'ancrage. Ma terre promise. Elle m'inspirait confiance, voilà tout. Et son regard à travers le rideau de pluie m'appelait. J'ai su alors qu'il n'était plus question d'aller nulle part que dans l'auréole sombre qu'elle dessinait sur les pavés. Je me suis avancé vers elle. Sans armes.

Ma main posée sur son bras, j'ai dit : « Parle-moi de toi » à une femme que je ne connais pas. Pour le pur caprice d'entendre rouler entre ses lèvres les accents robustes de ma langue maternelle. Après des semaines d'anglais *Irish* et des mois d'espagnol, j'ai insisté : « Parle-moi de toi. » Infatigable, la pluie continuait de tomber. Moi, je ne sentais plus rien. Mon cœur apatride cherchait à prendre appui dans le regard de l'inconnue. À se tresser un nid avec les fils de ses cheveux. À l'habiter. Tandis qu'une automobile nous arrosait, j'ai songé : « Petite ville minable. »

— Mais toi ? finit-elle par répondre.

— Moi ? Quoi, moi ? demandai-je surpris par le son de sa voix.

— Parle-moi de toi.

— Il n'y a rien à dire. Je m'appelle Simon. Je débarque d'Irlande. Je devrais être n'importe où sauf ici. Voilà…

Un grand vertige me tira vers l'arrière avec le poids de mon sac. Le décalage horaire, le souvenir d'Enid. Sa voix dans le vacarme ambré des pubs de Kilkenny, qui me glissait à l'oreille : *Simon – my love – don't leave me again, you're mine. You're mine. I know you're mine…* Et le goût du whiskey sur sa langue. Le déluge des corps dans des draps souillés. Puis la chute. La rupture. Ses yeux gris mouillés par mon abandon. *I never loved you.* Ensuite, ce fut l'avion à Dublin, Londres, Chicago, Montréal… *I never loved you.* Ici, maintenant : novembre, la nuit, le néant… *I never loved you.* Il me fallait échanger mes dernières devises pour quelques dollars canadiens, il était passé dix-sept heures et je repartais pour le Mexique dans moins de trois semaines. J'ai pensé un moment que j'aurais pu me rendre à la maison de mes parents demander asile. Mais plutôt mourir que de rencontrer ma défaite dans le regard de mon père. La lumière crue des lampadaires a fait cligner mes yeux brûlants de fatigue. J'avais envie d'une immense pinte de Guinness et de trois jours de sommeil. *I never loved you* était ce que j'avais trouvé de mieux pour cautériser la plaie. Pour l'empêcher de m'attendre, de m'aimer encore.

— Emmène-moi avec toi, lui ai-je dit si bas que j'ai cru que la pluie enterrerait mes mots. Emmène-moi, j'ai froid.

Nous sommes restés quelques instants immobiles, mes yeux fuyant les siens. Honteux que j'étais tout à coup. Mon regard est tombé dans le sien et je n'ai plus entendu ni la pluie ni les voitures. Seulement mon cœur claquer comme un fou contre mes tempes. De grosses gouttes de pluie tombaient de mon chapeau. Mes pieds étaient glacés. Il fallait que je me rende à l'évidence : je devais dormir, et elle était ma seule chance de ne pas me retrouver sous un pont ou au pied d'un arbre. Elle tira un morceau de chocolat de sa veste et le glissa entre mes lèvres avec douceur. Elle saisit mon visage entre ses mains, ses pouces effleurant ma bouche au passage. Un peu rudes, ils dégageaient un fort parfum d'huile et étaient tièdes dans la froidure. Le chocolat était bon. Elle a remonté ses pouces pour essuyer l'eau sur mes joues.

J'ai su alors que je pleurais. Elle m'a regardé encore un peu. Désemparée. Embourbée dans mon désarroi. Moi, je me sentais pris en moi-même comme dans une saison des pluies à ciel ouvert. Elle a frotté mon bras à travers mon manteau et j'ai senti se rompre en moi les embâcles de la déroute. Un grand frisson. Mon immense tristesse. Nous sommes si peu de chose. Dérisoires. Friables.

— Oublie-moi, veux-tu… Oublie-moi.

Elle m'a rattrapé de justesse par mon sac. Elle a posé ses doigts sur mes lèvres et m'a fait signe de la suivre. Par la suite, je me rappelle seulement un grand escalier que j'ai dû monter. J'ai oublié la couleur de ses yeux. Je ne connaissais pas son nom. J'ai dû dormir pendant des jours. Pourtant, lorsque je me suis éveillé, elle se trouvait là, assise à mes côtés, sirotant un verre de thé au jasmin. Elle souriait vaguement.

C'est ce jour-là que je lui ai fait l'amour pour la première fois.

* * *

En allumant la lumière de l'appartement, j'ai pensé : « Ça y est, je suis folle. » Mais quelque chose dans le regard de cet homme m'a dit que je pouvais avoir confiance en lui. M'a fait me dire que nous étions dans le même pétrin, que nous habitions le même monde. Je faisais pour lui ce que j'aurais voulu qu'on fasse des dizaines de milliers de fois pour moi, lui dire : Tu n'es pas seul, je connais ta peine...

Pendant un instant, j'ai eu honte des odeurs de peinture et de chemises sales, du lit défait et des bouteilles de vin vides. Mais lui, il restait tout tremblant sur le tapis de l'entrée, ligoté dans sa détresse, l'œil embrouillé, incapable d'esquisser le moindre geste. Et ça m'a détournée de la minceur de mes tracas. Dans l'atelier, la radio jouait. Bach, toujours.

— Ça ira, lui ai-je dit.

Il a levé vers moi un regard étonné, comme surpris de me trouver là. De se trouver là lui-même, entre quatre murs jaillis de la rue. Il a hoché la tête sans visiblement savoir à quoi il acquiesçait. Je me suis avancée vers lui pour l'aider à se débarrasser de son sac avant de lui enlever comme à un enfant ses vêtements lourds de pluie. Je les ai jetés un à un sur le sol. Son corps frissonnait au contact de l'air libre. J'ai posé ses bottes près de la porte. Prêtes à partir, au cas où.

Il serrait ses bras contre lui, pareil à ces oiseaux surpris par la piqûre du froid du matin. Il pleurait. Je l'ai fait s'asseoir sur le bord du lit. Et pendant que j'étais à la cuisine pour mettre de l'eau à bouillir, il s'est allongé. Son corps à demi nu n'en finissait plus de trembler. Sans hésiter, j'ai pris le petit flacon de verre brun, sur la table, près du lit, et comme je l'avais vu faire dans les films, j'ai frotté très fort avec l'huile ses épaules et sa poitrine. J'ai remonté les draps jusqu'à son cou. Il a semblé s'apaiser. J'ai allumé le chauffage et rangé un peu la chambre. J'ai préparé le thé. Il s'est endormi.

J'ai bu le thé toute seule en regardant Simon dormir. Simon. Je me le répétais – Simon, Simon, Simon,

Simon – comme pour m'assurer de la consistance de la chose. Je sentais une paix profonde ronronner en moi à le voir ainsi calmé, retiré, hors de lui. Hors de sa peine, hors du monde. Les minutes n'en finissaient plus de passer sans que je trouve la volonté de détourner mes yeux de ce bel intrus égaré chez moi. Je me suis vite sentie gagnée par cette impression d'imposture : il devait y avoir erreur sur la personne, cet homme était trop beau pour se trouver là, dans mon lit. Il avait ce quelque chose d'irréel qui le rendait presque intouchable. Je devais rêver. Puisqu'il appartenait à ce type de beauté que l'on voit venir de loin, dont on dit : « Non, ce n'est pas pour moi » et qu'on préfère regarder à la télé ou dans les magazines. Qu'on n'ose même pas apercevoir, en fait, parce qu'on craint de s'y brûler les yeux. Le cœur. Le corps tout entier. À cause de l'abîme qui s'ouvre sous nos pieds au moindre sourire, au moindre regard.

Au fil de ma contemplation m'est venue l'envie de suivre du doigt la ligne parfaite de son dos. Parcourir les courbes alléchantes de sa peau couleur de miel. Poser mon oreille sur l'idéogramme chinois tatoué sur son épaule et, rendue là, écouter battre son cœur, sentir le dragon s'agiter sous sa peau. Ou encore plonger mon nez dans la forêt épaisse de ses cheveux… Mais je ne savais que regarder. C'est tout ce que me permettait la décence. C'est tout ce que me permettait mon pauvre corps face à tant de beauté. La vague qui se soulevait en moi m'effrayait. De même que le frémissement de mon être à force de désirer toucher, goûter, respirer cette bête assoupie. Je restais donc sur mon siège, la tête vide, le corps en liesse. Déjà en manque de lui.

Pour rompre l'emprise de ce sortilège, je me suis levée pour fouiller dans le tas de ses vêtements sur le plancher. Sans chercher rien de précis, j'ai trouvé là son passeport, un peu de monnaie, du papier à cigarette et un sachet de noix. Et je suis retournée m'asseoir, presque déçue qu'il reste flou, si anonyme. Si peu unique.

Vers minuit, il s'est remis à frissonner. Je me suis levée pour lui jeter une couverture de plus sur le corps. Il aurait sûrement préféré que je ne le voie pas ainsi. Faible, vulnérable sous mes yeux d'inconnue. Et pourtant il était là. Démuni au point que je n'existais pas pour lui. Je ne voyais plus qu'une chose à faire : me presser contre lui pour partager un peu de ma chaleur. Mais j'étais incapable de faire cela. Quelque chose de rationnel retenait ma formidable envolée vers lui. Et tout de même... je me voyais déjà, je sentais ma volonté chanceler doucement. Je voulais le sentir contre moi. Son corps contre le mien, au moins une fois... ses cheveux, son cou, sa peau... pour moi, juste pour moi. Tout pour moi. Toucher sa peau, oui. Goûter le contact de son corps. Flirter avec les démons qui remontaient le long de mon échine.

Je me suis finalement approchée. Me suis glissée sous les draps pour me serrer contre lui comme si c'était moi qui avais besoin d'un peu de chaleur finale-ment. Et d'un seul coup, ça s'est tassé : les tremblements de son corps, les battements d'ailes des oiseaux noirs dans mon ventre. Plus de doute : il fallait que je sois là. Je me suis sentie proche de lui, utile soudainement. J'ai calé mon nez dans son cou. Me suis laissé pénétrer par les exhalaisons de son corps : sueur et café... et l'odeur de thé vert que laisse sur la peau la laine humide. Je me suis laissé porter par son parfum et j'ai vogué, un peu, sur les voiles délicieuses d'un impraticable désir. Tellement bien. Bénie.

Aux premières lueurs d'une aube grise, je me suis éveillée en me demandant où j'étais. D'abord, j'ai senti son corps contre le mien. Mon ventre dans son dos. Ses cheveux – partout – dans mes oreilles, dans ma bouche, dans mon cou... ma main sur sa hanche et mon cœur dans la boue. Et enfin comme une soif blanche trouant ma chair. J'ai reconnu l'appartement : les murs, le plafond, les odeurs de peinture, de sueur. Le rideau bleu de la grande fenêtre infusant la lueur pâle d'un matin à venir. Je me suis levée, courbaturée comme si j'avais fait l'amour toute la nuit. Un peu ébranlée, vaguement confuse, mais encore tout habillée.

Mais d'où me venait-il, ce Simon ? Qu'est-ce que je faisais là, debout presque en pleine nuit ? Paralysée par le sommeil, soûlée par la tiédeur de ce corps, à me raconter des histoires d'amour. J'essayais de me convaincre mentalement de l'absolue nécessité d'aller faire du café, d'aller marcher un peu, de faire comme si aucune parcelle de mon univers n'avait été bouleversée ; mais je restais plutôt là à me laisser chavirer par cette vision magnifique. À contempler, impuissante, la sépulture de ma tour d'ivoire, de mon nid secret, dévasté. Adossée à la porte de l'atelier, je me demandais si on devinait au premier coup d'œil que l'on a devant soi l'homme de sa vie. Peut-on le reconnaître à cette vague qui se soulève, brûle le ventre la gorge le sexe à la vue du tracé de la ligne de vie allongée, là, entre les draps ? Simon. Je ne parvenais pas à m'enlever de la tête cette idée de me retrouver près de lui. Pour de nouveau toucher son corps. Encore.

Après avoir préparé du café, je me suis laissée tomber dans le gros fauteuil vert qui me tient lieu de salon. Et j'ai compté seconde après seconde les heures qui ont suivi. L'esprit pulvérisé par la fatigue. Désarmée. Aux prises avec mes lubies comme avec du sable dans mes chaussures. Et l'impression d'imposture qui ne me quittait pas. Comme si cette rencontre avait lieu à des milles de moi. Comme si je ne devais pas m'y trouver. Comme si j'allais me réveiller, le cœur en miettes après ce rêve de beauté. Et pourtant ce Simon ne me devait rien. Rien ne l'obligerait à me parler, me voir, me raconter quelque chose… il pouvait tout aussi bien se lever et partir sans un mot. Moi, je resterais là derrière, hantée par le bruit de sa respiration. Avec tout mon être contaminé par ces rêves en bleu et or que son apparition aurait dessinés.

Au moment précis où j'ai pu fixer mon attention sur les rideaux tirés du voisin d'en face, à l'instant précis où j'allais fermer les yeux, le front appuyé contre la vitre froide, le cœur en démission, l'esprit vidé, je l'ai entendu remuer, lui. Malgré les huit heures de l'horloge, une lumière grisâtre habillait la ville. Il ne pleuvait plus. Son réveil me ramenait sur terre. Je me suis retournée et je l'ai vu ouvrir les yeux. De toute évidence, il s'interrogeait sur le lieu de sa chute. Je me suis lentement éloignée de la fenêtre et du semblant de paix que j'y avais trouvé. Tout à coup il me fallait parler. Aligner les bons mots. Il me fallait poser les gestes adéquats. Mais je sentais seulement une panique immense occuper toute la place. Je me suis rendue à la cuisine pour préparer quelque chose à boire. Espérant presque qu'il reprenne son sac ses bottes mon cœur son chapeau et qu'il disparaisse de ma vie avant que nous ayons à échanger la moindre parole. D'une boîte de thé choisie au hasard dans l'armoire, j'ai jeté quelques pincées de feuilles dans une théière que j'ai posée sur un plateau avec deux verres.

Puis je l'ai retrouvé, en broussailles sur le lit. Le regard perdu. Ahuri. Avec je ne sais quel tsunami qui avait dévasté son beau visage pour n'y laisser que la fatigue et le désarroi. Il me semblait qu'on m'avait largué comme un mort à la mer son corps vidé d'espoir. J'ai posé le plateau par terre, près du lit, et nous ai versé un verre de thé chacun. Je lui ai tendu le sien qu'il a pris, presque obligé, m'observant comme pour retrouver dans sa mémoire qui je pouvais bien être.

— Ça ira, ai-je lâché pour secouer la muraille entre nous.

Il gardait son verre entre les mains ; on aurait dit qu'il y réchauffait tout son corps. Hésitant, il a pris une gorgée.

— Ça fait du bien. C'est bon, dit-il d'une voix cassée.

— ...

— Moi, c'est Simon.

— Je sais. Je me rappelle.

— Je crois que je me suis perdu. Désolé.

J'ai failli ajouter : « Ça ira », mais je commençais à me trouver ridicule de répéter toujours la même phrase. Bien appliquée à repérer la moindre particule qui aurait flotté dans le liquide trouble, je me suis plongée dans l'inspection de mon verre. À ses côtés, j'avais l'impression d'être hors de mon sillage. Je ne m'appartenais plus. Le liquide chaud m'a fait comme une décharge dans le ventre. J'ai eu envie de dire : « C'est vrai que c'est bon », mais j'ai pensé que ce serait inutile. Les yeux levés vers lui pour déjouer le silence qui commençait à peser, je jonglais mentalement avec les QUI ES-TU ? et les QUE FAIS-TU LÀ ? mais je restais sans voix. Ma fatigue s'est évaporée d'un seul coup sans pour autant dissiper le malaise. C'est lui qui s'était effondré et c'est quand même moi qui étais incapable de ne pas baisser les yeux. Il allait pleuvoir aujourd'hui. Je devrais mélanger quelques couleurs. Aller acheter du miel et des olives. Laver les draps. Ranger la cuisine. Il me faudrait remballer mes histoires lorsque cet étranger choisirait de prendre le chemin du retour. Sans un mot.

— Et ton nom, à toi ?... dit-il après de longues minutes.

— Manue, lui répondis-je, surprise d'être tirée de mes pensées.

— Manue comme dans Emmanuelle?
— Non. Manue. Comme dans Manue.

* * *

Je m'envole de nuit. Puisque le temps est redevenu clair.
Bon retour sur terre, petite Abeille.

S.

Manue

Je sais qu'au loin, là-bas, on marche à deux sous les tilleuls. Je le sais, c'est tout. Je sais qu'au-delà des frontières et des chemins salés du désert, on tombe couramment amoureux pour couvrir le silence qui est en nous. Et c'est aussi bien qu'on y croie à l'abolition de ce silence. Sinon, on se jetterait par dizaines au bout des quais, avec son cœur comme un violoncelle en bandoulière, soûls de tristesse. Je n'ai jamais cru à l'amour. Je l'ai toujours pris pour du délire, une volonté naïve d'échapper à soi-même, d'élever son âme à tout prix. Un fantasme. Il faut dire que je n'ai jamais connu l'amour. Je n'ai connu que la mécanique de deux corps qui se rencontrent. Se frôlent sans se toucher vraiment. Se récurent. S'étreignent sans s'emmêler jamais. Se brûlent. Se blessent, parfois. Mais qui s'en vont, toujours. Une mécanique bien réglée toutefois. Un déluge. Une folie de la nature.

Mais maintenant, j'ai des échos de son rire à elle tatoués dans ma mémoire. Des empreintes de son corps sur ma poitrine. Mon souvenir tout entier criblé des éclats de sa voix. Ce nom, que je ne songe même pas à prononcer, tapi dans ma gorge. (Ses yeux noirs comme le cœur des rudbeckies…) Car ici, il ne me reste plus que le silence. Comme dix mille possibles offerts. Un chemin inentamé vers le bleu. Et pour la première fois du monde, ce souhait formulé, cette irrémédiable envie : je voudrais qu'elle, ma toute belle et farouche mortelle, au bout des terres, elle enjambe les frontières et m'attende bras ouverts. *Sur mon corps il ne reste que bruine d'amour, au loin les songes ressemblent à sa taille.* En un soupir : Manue. (En un mot : elle a avalé une à une les étoiles filantes sur les chemins qui nous séparent.)

Dans la fin de l'après-midi, je bois un *yerba* maté qui a tiédi, assis sur une roche. Un livre sur les genoux : Miron, toujours. Je participe depuis près de trois ans à la routine de cette coopérative de café équitable. Bientôt, si je le veux, je pourrai m'installer définitivement. Les indigènes ont pleine confiance en moi. Et j'aime l'impression que des milliers de kilomètres de forêt me coupent du monde. J'aime la vie que je mène ici – complètement libre, lente et acharnée à la fois – alors que tranquillement quelque chose d'utile s'érige pour durer. J'aime penser que ces quelques hectares de terre m'appartiennent un tout petit peu. J'aime aussi la lumière de fin de journée qui dessine de larges taches miroitantes sur la terre battue. Et par-dessus tout, j'aime la lente application de cette femme mexicaine occupée à écosser des haricots noirs à l'ombre des grands arbres. Ou l'acharnement tranquille de cette autre *campesina* qui arrache des pommes de terre en chantonnant pour endormir l'enfant sur son dos. Et cet homme, torse nu, qui déambule entre les caféiers, des perles de sueur sur son front cuivré, jetant un œil sur le mûrissement des fruits. Et ces gamins qui courent, en riant, dans le maïs qui secoue avec nonchalance ses feuilles au gré du vent. C'est cette humanité pure, ce dénuement total qui me lient à la terre.

Mais tout de même. Je me demande si c'est ce dont j'ai vraiment envie. Même si je sais que poser mon bagage sur cette terre aride ne signifie pas m'arrêter toujours. Même si je sais qu'il sera toujours temps de reprendre la route. Comme ces défricheurs de pays qui, une fois leur carré de terre assez large, préfèrent le vendre et repartir à neuf un peu plus haut. Ailleurs. J'ai fait ce que j'avais à faire ici. Je suis un nomade. Intouchable. Un sauvage. Je suis un fou... À chaque escale se confirme l'incapacité de mon corps à soutenir une quelconque durée immobile. L'idée même d'un enracinement. L'Irlandaise en a pleuré. Et Manue finira bien par démissionner pour cette raison. Forcément Manue. Ma sirène. Ma nue. Mon projectile. Ma forcenée, Manue. Une ferveur merveilleuse peuplant mon abîme. Même si j'ai bien essayé qu'elle ne se laisse pas atteindre par moi. Je le jure. Mais c'est moi, maintenant, qui comme un pauvre aliéné ai envie d'y tremper de nouveau les lèvres. C'est plus fort que l'entendement. Manue. Lorsque je pose ma tête sur son ventre, j'ai l'impression d'être vivant, de respirer enfin, de toucher le cœur du monde.

Quelque chose en elle m'ordonne de freiner ma fuite. C'est peut-être l'attente dissimulée derrière ses paupières closes. Ou sa démission un peu triste face à mon départ. Ou encore cette promesse de durée décachetée à chaque fois dans les rondeurs blanches de son corps. Et à laquelle j'ai presque envie de croire. Puisqu'il faudra bien que cesse un jour ma fuite. Ou bien cette force tranquille et silencieuse qui fait qu'elle l'accepte.

Oui, il faudra bien qu'elle cesse, cette fuite. Mais non. Pas encore. Rien de plus incertain que deux êtres tels que nous. En perpétuel déséquilibre. Pourtant, même si j'essaie de me convaincre de ne pas monter sur mes grands chevaux, mon corps ne suffit plus à contenir cette euphorie qui éclate en moi comme les feux du 4 juillet dans le ciel de New York. J'ai l'impression de la connaître depuis toujours. Et, oui, je me la rappelle telle que je l'aime. Manue. Son nom vif. Un éclair. Un chuchotement dans la nuit : Manue. Un coup à la tête. Et c'est l'âme qui est atteinte. Manue. Avec ses yeux noirs. Son cœur comme une cathédrale. Sa peau aux parfums d'écorces d'agrumes. L'émerveillement dans ses gestes lorsqu'elle parle d'Ensor, de Chagall ou de Modigliani. Le frémissement de ses lèvres pendant l'amour. Et cette manière de fermer les yeux quand je lui dis non. Je l'aime, oui. C'est tout. Comme si maintenant j'étais un homme. Comme si maintenant je jouais dans la cour des grands.

Je plante mon regard dans le morceau de ciel coincé entre les ramures immenses des kapokiers. L'air est tiède. Je referme le livre. Je prends la dernière gorgée de maté en fermant les yeux. Ébloui.

* * *

Première tempête de l'hiver. Il neigeait depuis deux jours, et je n'avais pas vu Manue depuis trois semaines. Un hiver encore neuf, plein de zèle et de folie, à faire rêver les skieurs et les conducteurs de dépanneuses. Le bonheur, quoi ! Un hiver tout neuf, débordant de l'intérieur, brillait par la vitrine d'une aveuglante lueur blanche. La rue se remplissait patiemment de toute la neige accumulée. La soirée à la boutique allait être interminable. Frédéric faisait les comptes de la journée dans l'arrière-boutique et se préparait à me laisser seul maître à bord. Je déteste l'hiver, me disais-je intérieurement. Et sans Manue pour m'ensoleiller un peu.

Manue. C'est la folie de mon être éperonnée à son contact. Manue. À perdre pied. À boire debout. Ma mouche à feu, Manue. C'est la folie dans une bouteille. Une crise perpétuelle. Manue, je l'ai aimée un jour pour toute la vie. Mais elle me répondait en

31

hochant la tête : Rien ne dure toute la vie, Jonas, plus rien ne dure… Alors, j'ai peu à peu désappris à l'aimer à petites lampées au sexe des autres femmes. Puis j'ai rencontré Lennie. Dans la section des huiles de l'épicerie européenne, à deux pas d'ici, elle a allumé un feu tranquille dans ma poitrine. Sa voix chaude. Son beau grand corps élancé qui la fait avancer dans la vie comme un chat. Avec le temps, je l'ai laissée habiter chez moi sans m'en rendre vraiment compte. Depuis, je dors mieux. Du moins, je respire. Et Manue est mon amie.

16 heures 10. Les potentiels acheteurs de musique allaient rester chez eux à cause de la neige et du vent qui cognaient contre les vitres du magasin. Et moi, je me retrouverais seul comme un zouave, dans un cagibi surchauffé, dans lequel persistait une odeur de café brûlé, à regarder l'hiver faire rage au-dehors. Alors que tout ce dont j'avais envie, c'était d'écouter un peu de télé, le nez dans les cheveux de Lennie, son corps contre le mien.

Contre toute attente, la clochette de la porte a fait entendre son *gling-gling*. J'ai levé le regard des partitions que j'étais en train de feuilleter, pour voir qui allait me faire le plaisir de me tenir un brin occupé. Parmi les guitares et les percussions, m'est apparue en vert et blanc une Manue qui enlevait son chapeau en souriant.

— Viens, Jonas, j'ai quelque chose à te montrer.

De la voir ainsi secouer la neige de ses bottes faisait vibrer des carillons de rire. Enfin, te revoilà, j'ai pensé. J'avais envie de la soulever de terre et de la faire valser à travers la pièce en chantant *Vesoul* de Brel. Envie de lui raconter n'importe laquelle des dix mille histoires que j'avais en tête, pourvu qu'elle reste là, près de moi, encore un peu. Qu'elle reste quelques minutes encore à mes côtés que je l'entende rire de mes lubies ou parler de ses couleurs. Mais je restais immobile. Prince maussade. Mauvais joueur puisque jaloux. J'étais prisonnier de sa proposition à laquelle je ne pouvais répondre. Vaguement épouvanté aussi par cette lueur neuve qu'elle avait au fond du regard.

— Allez, viens, me dit-elle.

Curieux de savoir qui me faisait l'honneur d'une telle invitation, Frédéric a passé la tête dans l'embrasure de la porte du bureau. Manue s'était savamment lancée dans l'exploration des guitares accrochées le long du mur. Je la voyais effleurer un à un les instruments du bout des doigts. *Tocar musica,* ai-je pensé en la voyant ainsi aller. *Tocar* comme dans toucher. *Tocar* aussi comme dans jouer de la musique. Manue ne disait rien, se contentant d'être là. Et j'en étais ravi.

— Où tu te cachais, toi?

— Nulle part, Jonas. J'étais là. En ville. Partout. Chez moi. Je me suis transformée en chasseuse d'aube. Et je me suis trouvé une lumière secrète. J'étais toute là. À savourer les derniers morceaux de l'automne et à barbouiller des carrés de fenêtres. Je me suis absentée de l'inutile...

C'était sa manière bien à elle de dire qu'elle peignait. Les carrés de fenêtres étant ces toiles coquille d'œuf qu'elle tendait elle-même sur un cadre en bois et qu'elle déposait sur un chevalet pour les couvrir de couleurs. Ce qu'elle accomplissait magnifiquement en des délires carnavalesques auxquels je ne comprenais pas grand-chose, mais que je trouvais admirables quand même. J'étais tellement heureux de la savoir là. Toujours vivante. Ma flamme, Manue. Ma fin du monde. Mon ciel de mai, Manue. J'aurais voulu seulement lui dire : je t'aime. Comme ça. Pour rien. Sinon à cause de cet art singulier de remuer l'air autour d'elle ou de faire de quelques mots des images à encadrer. Ou parce qu'elle était mon amie, tout simplement, et que je voulais lui dire à quel point elle m'avait manqué.

— Allez, viens, Jonas, viens-t'en...

— Je peux pas, Manue. C'est moi qui ferme.

Frédéric est apparu à mes côtés sans prévenir. Jouant le camarade de longue date, il m'a fait trembler de tout mon corps en m'appliquant une grande claque complice entre les omoplates. L'air coquin, il m'a glissé à l'oreille : « Allez, va. Sacré veinard... Fonce ! »

Il a fait un clin d'œil plein de sous-entendus à Manue tandis qu'il me tendait mon manteau. Et nous nous sommes vite retrouvés dans la tempête, encouragés par Frédéric – qui virevoltait littéralement dans le magasin – à nous adonner à quelque aventure lubrique de son imagination. Connard, j'ai pensé.

Mon manteau était encore tout grand ouvert. J'avais perdu mon foulard quelques jours plus tôt et je pestais contre la neige qui s'engouffrait dans mes vêtements, dans ma bouche et mes yeux. Le vent me donnait mal aux oreilles. J'avançais péniblement dans le gris morose d'une ville l'hiver. Mais Manue était là, pétillante comme un feu d'épinette. Sans chapeau. Elle léchait les flocons sur ses lèvres. Et les yeux noirs qu'elle levait vers moi parvenaient presque à annuler les premiers élans de la mauvaise saison.

— Tu sais que ce blouson d'aviateur est celui que je te préfère ?...

Je l'ai embrassée sur les deux joues. Elles étaient douces et froides. Manue a lâché un grand éclat de rire qui s'est amplifié dans le silence de la rue. Elle a glissé son bras sous le mien et j'aurais pu rester ainsi pour l'éternité ou presque. Mais elle s'impatientait à chacune de mes tentatives de ralentir son pas. Elle piaffait littéralement. Elle semblait vouloir se mettre à hurler à chaque fois que je cherchais à donner à notre route une direction imprévue. Nous avons marché sans rencontrer personne. Sans rien dire non plus. Nous étions les maîtres de la rue et nous n'en avons pas profité.

Nous avons monté en courant l'escalier jusqu'à chez elle. Mon cœur battant contre mes tempes. Mes poumons brûlaient. Mes chaussures étaient trempées. Il flottait un épais brouillard dans mon esprit. J'avais retrouvé mon humeur taciturne. Et Manue, qui avait réussi avant moi l'ascension, m'attendait devant la porte ouverte de son appartement.

— Tu vas être fier de moi, dit-elle.

Nous avons lancé nos manteaux sur le plancher en entrant. Manue, sans enlever ses bottes, s'est enfuie vers la cuisine, laissant derrière elle des cercles de neige fondue sur le plancher de bois. Il flottait dans l'appartement une légère odeur de peinture. J'ai voulu me chauffer les mains au-dessus du calorifère, mais il était éteint. J'étais étonné de constater que persistait le combat de Manue contre le froid. Par la fenêtre, j'ai regardé la ville se laisser gagner par l'hiver. Dans une semaine, la neige aurait fondu. Et alors tout serait à refaire. Pendant ce temps, elle tapissait la pénombre du jour mourant d'un étonnant tissu de mots auquel je n'entendais rien. J'étais si loin. Un livre bleu dormait, pages ouvertes, sur le plancher froid. Miron.

Je me suis bien vite senti à l'étroit dans ces pièces visitées – et revisitées – tant de fois pourtant. Embrouillé. Je devenais soudainement étranger à cet univers fréquenté à outrance. Quelque chose m'échappait. Quelque chose se passait en dehors du cercle étroit habituellement formé par Manue et moi. J'étais content de la voir, content de la voir rayonner d'une joie si pure. Elle semblait presque neuve, Manue. Elle touchait à peine le sol. Déliée de ces ancrages qui la laissaient si souvent triste ou sans voix. Mais quelque chose en moi, le sentiment de me trouver hors de sa joie, me laissait boudeur. Je n'avais pas à être jaloux, mais je me sentais bien petit à côté de celui qui avait dessiné ce sourire sur ses lèvres. Non, ce sourire ne m'appartenait pas. Ce trouble au fond du regard, ces gestes amplifiés par un certain frisson de la chair étaient pour quelqu'un d'autre.

J'ai mis du Tom Waits. D'abord pour me faire plaisir. Ensuite pour enterrer son incessant babil. Ce disque, je l'avais offert à Manue, mais elle ne l'écoutait jamais. Elle n'aimait ni la voix du chanteur ni les arrangements musicaux. Elle disait que ça faisait ressortir la mauvaise part d'elle-même, ces images de danses macabres et de pendus que lui inspiraient certaines pièces. Moi, j'adorais. Il faut dire je ne retenais pas la même chose qu'elle. La voix pleine, rocailleuse, féroce. La fascination quasi mystique face à une manière d'être aussi éloignée de la mienne. Ça ne me dérangeait pas d'agacer un peu Manue avec cette musique. Pour tout dire, je me sentais une envie misérable de me venger de la façon qu'elle avait de me laisser hors d'elle-même, de ses pérégrinations. Je me suis assis dans le gros fauteuil et j'ai ramassé le livre bleu abandonné par terre.

J'aurais voulu être ailleurs. Dès les premières notes de *Earth Died Screaming*, la musique m'a jeté du plomb dans le ventre, créant ainsi une ambiance un peu lugubre que j'aurais voulu quitter simplement en me levant et en claquant la porte. J'aurais préféré être au travail comme prévu. Là, j'aurais pu compter à ma guise les noires sur les partitions en solde. Me retaper pour la énième fois une ballade de Johnny Cash ou l'intégrale de The Doors. Mais Manue possédait ce don de renverser le cours des choses avec sa bouille d'enfant terrible. Et je me retrouvais plutôt ici. Ami fidèle. Résolu. Au bord du précipice, je le sentais.

— Tu sais quoi ? J'adore l'hiver.

Mon errance mentale m'avait porté si loin que je n'avais pas entendu Manue venir. J'ai senti mon cœur exploser quand je suis retombé sur terre. Soudain j'étais si seul.

— La neige, le froid, le vent... continua-t-elle. Le vent surtout. Quand il souffle et tourbillonne et chante. Et lorsqu'il te mord le front et le nez et les oreilles à force de souffler toujours. Une sorte de folie. C'est beau – c'est tellement beau –, regarde-moi cette neige. C'est beau... dit-elle en posant sur une table basse un plateau. Biscuits au gingembre et chocolat chaud.

J'ai pris une tasse entre mes mains et j'ai senti la chaleur gagner mes doigts. Ça m'a ravi tellement j'avais froid. À la première gorgée, je me suis brûlé la langue. Comme pour me rappeler que toute espèce de plénitude est illusoire, passagère. J'avais l'impression de ne pas connaître la femme qui bourdonnait autour de moi. La désespérance dans son regard semblait s'être effritée au contact de cet autre. Neuf. Inconnu.

— Je suis si contente de te voir, qu'elle me dit en soulignant du doigt la ligne de ma mâchoire.

Elle a pris une gorgée de chocolat et posé sa tasse sur le plancher. Elle a traversé la pièce en tournoyant à la Ginger Rogers, pareille à cette neige qu'elle disait tant aimer. Puis, d'un geste empreint à la fois de douceur et d'empressement, elle a ouvert la porte de l'atelier. TA-DAM! Et voilà que ça m'a sauté à la figure. En pourpre et blanc. Je croyais à peine à ce que je voyais. Manue avait laissé dans ses tiroirs les teintes mordorées de ses couleurs habituelles pour en tirer plutôt l'indigo et le gris et emmêler le tout en un tourbillon semblable à celui qui se démenait dehors. Je me retrouvais en plein vertige. Mon regard égaré par le dédale d'un trait noir dans tout le tableau. On aurait dit une ville. Une avalanche. Ou plutôt, non, c'était une explosion. Au sens littéral du terme. Puisque tout mon corps en avait subi la déflagration. C'était l'écartèlement d'une brèche, l'éclatement d'un orage inespéré… Je restais sans voix, la gorge sèche, mon cerveau moulu. Je sentais le froid me mordre au cœur. Je sentais une nouvelle ferveur dans le coup de pinceau. Comme un grand cri épanché. Un embâcle démembré. Je sentais par-dessus tout une Manue transfusée, l'écho de la femme qui battait des ailes autour de moi et qui, définitivement, m'échappait. Je sentais ma peur immense. Injustifiée. Injustifiable.

— Et comment il s'appelle, celui-là ? que j'ai échappé, surpris même d'entendre ma voix.

— Simon, a-t-elle lancé comme une bombe. Il s'appelle Simon. Si tu le voyais.

Justement, je voyais.

* * *

Vivre, c'est foncer dans le brouillard. Le cœur comme un tambour contre ses tempes, les bras en croix, le flanc offert à la mitraille. C'est n'y voir rien du tout, mais avancer quand même. Vivre, c'est se savoir vaincu d'avance mais foncer, oui, foncer encore, aveuglé par la poussière et les larmes, foncer toujours, assoiffé de rires, fou de détresse, de démesure, de pureté.

— Je t'aime, lui ai-je dit, par un matin ensoleillé.

Le regard posé sur son dos, sa nuque, ses épaules… il me venait l'envie de le prier de rester là pour toujours. D'enfoncer les doigts dans ses cheveux épais, colorés de reflets par le soleil. De poser les lèvres sur sa peau sucrée. Avec la lumière parfaite qui dessinait des ombres sur les murs, avec ses odeurs à lui, imprégnées dans ma peau et la joie muette qui m'électrisait jusqu'au bout des ongles, on aurait dit cette pièce *Lascia ch'io pianga*, de Haendel. Une musique semblable au vol des passereaux dans le couchant à la fin de l'été. Et moi, littéralement, je volais. Les deux coups qu'il avait frappés à ma porte avaient fait s'estomper le manque, l'éloignement, le néant. Il continuait d'occuper mon esprit, de consteller mon corps du souvenir de ses mains. Il continuait d'appartenir au rêve que je m'étais échafaudé après son passage. Sauf que maintenant, il était bien là. Et je n'avais qu'à tendre la main pour atteindre le feu de son corps. Il m'effrayait au plus haut point, mais il redonnait vie au rêve… C'était la seconde fois qu'il s'arrêtait ici. Mais l'absence avait tissé ce lien invisible de lui à moi. Avec comme une attente au creux des reins, une irrémédiable envie de rire.

J'étais heureuse de le voir s'affairer. Moi si persuadée que mon monde devait lui déplaire. La musique en sourdine. La poussière sur les meubles. Mes interminables histoires. L'odeur de peinture. Les fenêtres sales. Une page de journal dépliée. Du terreau. Des pots. Les pépins de citron que j'avais laissés à sécher, sans trop savoir pourquoi, sur le bord de la fenêtre. L'arrosoir. Tandis que mon petit cœur d'argile frôlait le délire dans ma poitrine, j'aurais voulu lui dire que tant qu'il resterait près de moi, plus rien au monde ne m'apparaîtrait impossible. Que tant qu'il serait là, je ne manquerais de rien. Mais on ne dit pas des choses comme ça à quelqu'un qui atterrit chez vous pour une seconde fois. Plutôt, on fait une folle de soi : je t'aime, je t'aime, je t'aime… Les mots s'étaient rués hors de moi. Maintenant, ils voltigeaient en silence dans l'espace entre nous. Libres. Plus forts que moi. Plus grands que toute volonté. Je t'aime. Je me sentais délestée.

Tandis que Simon continuait ses semis, testant la vitalité de chaque pépin d'une pression du doigt, je me repassais en mémoire les mots d'un nombre incalculable de chansons d'amour auxquels, j'étais forcée de l'admettre, je n'avais rien compris avant ce jour. Avant lui. Et j'enviais l'incroyable sérénité avec laquelle il parvenait à rester si inébranlable, si hors de moi dans ce matin plein de lumière. Au fond, je n'étais même plus certaine que les mots soient véritablement sortis de ma bouche. Ils brûlaient en moi si limpides, si criants d'évidence, que j'avais cru les prononcer alors qu'ils pouvaient aussi bien m'être restés sur la langue ou en travers de la gorge.

Des odeurs de pain grillé et de café. Un ciel bleu de glace. Et le désir insoutenable d'encercler de mes bras sa poitrine. De le demander en mariage, ici, maintenant. Pour toujours. Même si je savais qu'il était en transit. Il avait pris mon corps pour escale. C'était la façon qu'il avait trouvée de s'arrêter de travailler, avait-il dit. Il était arrivé la veille, les mains pleines de livres, de fleurs et d'écorchures, son visage rougi par le froid alors que je ne l'attendais plus. Avec son sac et son chapeau. Nous avons pris un long bain ensemble. Il m'a alors embrassée sur les yeux en me disant : « Rappelle-toi combien je déteste ce pays, cette ville… » avant de s'endormir. J'ai senti que son retour recollait ensemble ce qui avait éclaté la fois d'avant. Je n'étais qu'à demi rassurée de sentir son corps contre le mien. Il me semblait retrouver un peu de moi-même avec lui tout près. Même si je savais que cette escale relevait d'un jeu sans règles.

Aux aurores, il avait préparé le café. Il avait feuilleté certains des livres qu'il avait apportés avec lui. De la poésie, surtout. Quelques guides de voyage. Avant même que j'ouvre les yeux, il était sorti acheter du terreau et des pots. À son retour, je l'avais vu étaler de vieux journaux sur la table de la cuisine, préparer de nouveau du café, m'en verser un et s'asseoir sans le moindre mot. Je l'avais trouvé si beau, si follement étranger à moi.

Et maintenant : je t'aime. Je goûtais le poids des mots à rebours. Une syllabe après l'autre. Je t'aime. Je t'aime. Je t'aime. Comme des charbons dans ma poitrine. Un saut en chute libre. J'ai posé ma tasse de café et me suis approchée de lui, ne serait-ce que parce que je ne tolérais pas cette distance entre nos corps. Ne serait-ce que parce que chaque millième de seconde comptait. Parce que dans trois semaines, il redeviendrait ce vide sidéral imprimé dans ma chair.

Je me suis assise sur la table. Il a levé les yeux vers moi. Je lui ai souri.

— Je t'aime, Simon.

D'abord il a semblé surpris. Puis il a souri. Le désastre a été aboli par ses doigts reprenant le tracé de ma hanche. J'ai senti mon corps se fendre de l'intérieur par le simple contact de ses mains. JE T'AIME. JE T'AIME. JE T'AIME, lui criais-je de tout mon être. Mais je me sentais vidée de ma voix. Il ne me restait que mon amour comme une prière à murmurer pour moi seule, presque au seuil de la mort.

J'ai posé mes lèvres sur les siennes dans l'abandon des convenances. Envahie. Habitée et désertée à la fois. Lentement nous avons emmêlé nos gestes sur la table. Aveuglés par le soleil de février. Dans ma tête de nouveau : *Lascia ch'io pianga*. Et nos bouches, muettes dans l'extase, ont exprimé la démence de cet amour ensablé dans nos pores.

* * *

Au dos d'une carte postale jamais envoyée :

Tu ne devrais pas dire ces mots, ils sont insupportables.
Je suis d'une race orageuse qui n'en a rien à faire de l'attente, du manque et de l'ennui. Je suis un être libre. Je suis vivant.

41

Toi aussi. Tu es un être libre. Ne l'oublie pas.
(Mais Manue, m'aimerais-tu quand même si je te disais
que je t'aime ?...)

Mai

L'autre jour à la télévision, j'ai vu les images d'une manifestation qui avait mal tourné dans le sud du Mexique. Le journaliste avait laissé entendre qu'avec les drapeaux noirs et les drapeaux rouges qui y flottaient, il fallait s'attendre à du grabuge. Les noirs, ce sont les anarchistes. Les rouges, les communistes. C'est Simon qui me l'a dit. Moi, jusque-là, ce genre d'enjeux m'était passé bien au-dessus de la tête.

Il y a eu plusieurs arrestations. Des dizaines de blessés. Un mort. Beaucoup d'encre et de salive gaspillées pour rendre compte si mal de la situation finalement. À un moment, j'ai cru reconnaître le profil de Simon parmi les manifestants au front. Mais j'ai éteint le téléviseur avant la fin du reportage. J'étais au moins certaine d'une chose : je n'avais pas envie de savoir si c'était lui. J'ai mis du Bach pour me rendre inatteignable. J'ai fumé un peu d'herbe et me suis préparé un bol de café au lait. Je n'ai pas regardé les journaux depuis une semaine. Depuis, aucune nouvelle. Rien que le ressac du silence pour m'épeler son absence. Et une inquiétude, oui, aussi vaste que le continent qui donnait des couleurs aux carrés de fenêtres posés sur mon chevalet.

Et au moment où je me serais attendue à le voir apparaître : *Hasta la proxima*, m'écrivait-il pour me laisser savoir que cette fois-ci, il passerait son tour. Un petit courriel de rien du tout, treize misérables mots pour me dire que le soleil de mai lui fait toujours grand bien, alors… À deux jours d'avis, me dire qu'il était désolé. Que l'argent manquait, bien sûr. Qu'il était épuisé. Et moi de lui répondre : je comprends. (*Je t'aime. Tu me manques. Mais je comprends.*) Même si dans ses treize mots, je lisais en filigrane : je n'avais pas envie de tremper les lèvres dans cette histoire un peu triste que tu me proposes. D'ordinaire, il écrivait dans un style léger, parsemé de quelques mots d'espagnol et agrémenté de poésie. Mais aujourd'hui, rien de cela. Qu'un silence encadré de blancs.

Moi, j'avais pourtant marqué d'une croix les jours sur le calendrier. J'avais lavé les draps et jeté de la lavande sous les oreillers. J'avais ouvert les fenêtres pour aérer l'appartement. Rangé l'atelier. Acheté du vin, un disque de fado et des asperges.

Alors j'ai fait cuire les asperges avec de l'huile d'olive. J'ai enrobé le tout du jus d'un quartier d'orange et d'un peu de gros sel. J'ai débouché la bouteille de vin. Et me suis postée devant mon chevalet avec une immense envie de pleurer. Sauf que je ne sais plus comment le faire. Alors je me mords les lèvres ou l'intérieur des joues. Je ferme les yeux.

Je me suis efforcée mentalement de remballer mes rêves en forme d'oiseaux, que j'avais tracés à l'encre de Chine à l'endos de la page blanche de mon existence. Mes pauvres volatiles se sont noyés dans les eaux troubles du déluge. J'ai fait se taire Bach pour mettre du Ravel. Le concerto en sol majeur.

Simon a écrit : À la prochaine. Et dans mon esprit, c'est comme s'il avait dit adieu. Comme s'il était mort au cours de son périple hors d'ici. Je ne sais plus jusqu'où je devrai compter pour retrouver, du bout des lèvres, les courbes de son corps. Sa tête posée sur mon ventre, ses doigts sur ma peau. Car je commence à oublier ton visage, Amour… Car je commence à croire que vivre avec toi, c'est avant tout être sans toi. C'est vivre avec des bribes de toi dans les yeux, sous les ongles, dans la bouche, dans mon lit ou sur le tapis. Mais si rarement avec ton visage entre mes mains, tes cheveux dans mon cou, ton rire comme un appel, tes odeurs dans mes oreillers et la magie que tu déploies à préparer un *caffè latte*. Je t'aime. Et je porte le verbe aimer comme une petite robe de fête. Mais la fête est triste puisque tu n'y es pas venu.

Un frisson me parcourt l'échine tandis qu'à l'ouest, la lumière du jour commence à fléchir. J'ai envie de faire l'amour. Comme ça. Debout au centre de la pièce qui me sert d'atelier. Avec le pépiement des oiseaux dissimulés dans la vigne de la maison voisine comme musique de fond. J'ai envie que tu sois là, Amour. Car j'ai envie de toi. Envie de me blottir au plus creux de toi. Envie de croire que l'on s'initie mutuellement à une sorte de durée. Puisque plus rien ne dure. Ni la bouteille de vin qui, une fois vide, est renversée sur le côté. Ni les premiers véritables jours de printemps. En fait, la seule durée que je connaisse réside dans ces étendues de temps comprises entre tes départs et tes retours. Je serre les poings pour ne pas m'effondrer.

Et encore. Si j'avais le courage de t'aimer vraiment. Je laisserais tout derrière moi sans le moindre remords. Je te suivrais dans le pays de tes rêves. J'ai honte de le dire, mais sans toi, je ne retrouve plus mes ailes. Je touche le fond sans savoir remonter à la surface. Je prends un à un les tubes de couleur pour y lire la poésie des noms qui leur ont été attribués par le fabricant. Ocre. Vermillon. Terre de Sienne. Bleu de Prusse. Terre d'ombre brûlée. Autant de noms que de couleurs qui s'illuminent entre mes doigts. Le carmin de la confiture de gadelles. Bleu cobalt comme la voiture de mon père quand j'avais dix ans. Blanc comme la soif qui me tenaille. Le noir qui sillonne les toiles de Pollock. Le bleu dément d'une nuit d'automne. J'ai besoin d'un matériau dense qui me donne la possibilité de jouer avec les textures et les mouvements. Malgré la commodité de l'acrylique, avec l'huile, j'ai l'impression de toucher le cœur du monde. Quelque chose d'inviolé, de brut. C'est comme si j'étais une enfant sauvage qui aurait découvert une grotte et qui descendrait s'y cacher avec l'intime conviction d'être la seule personne au monde à connaître ce lieu. Lorsque je peins, je suis cette enfant qui joue dans l'ombre et retourne au centre d'elle-même à chaque coup de pinceau sur la toile.

Même l'odeur m'aide à trouver une joie précaire dans mon travail. Un équilibre. Une odeur épaisse, sulfureuse presque, qui pénètre les muqueuses et la peau pour des heures durant. Jonas, lui, n'a jamais toléré cette odeur. Moi, avec le temps, j'ai appris à vivre avec, à l'aimer. Comme une présence. Comme une vieille amie. Cette odeur appartient à ma respiration. Elle donne forme à mon existence.

Mais je ne mélangerai pas de couleurs ce soir. La musique s'arrête. Je repose le tube que je tenais entre mes mains avec les autres sur la table. Je sors de l'atelier en refermant la porte derrière moi. Non, je ne mélangerai pas de couleurs ce soir. Je n'y trouverais aucun apaisement. Ma tristesse est dans un état trop avancé. Je m'approche de la fenêtre au rideau bleu. J'y dessine un cœur percé d'une flèche dans la buée. Je t'aime. Tu m'as dit mille fois : je suis un être libre. Deux mini-citronniers étirent, en vert tendre, leurs premières feuilles vers le ciel mouillé. De ce côté-ci du monde, je me dis qu'il faudra bien que tu réapparaisses. Il le faut.

Et puis, le front appuyé contre la vitre froide, le cœur gros comme la pleine lune, je me dis que tout ce qu'il me reste à faire, c'est de continuer. Faire en sorte que cette vie soit de nouveau mienne, même si c'est sans toi. Peut-être t'envoyer un ou deux courriels. Peut-être une longue et lascive lettre d'amour que tu déplierais sur tes genoux et que tu conserverais dans la poche de ta chemise pour pouvoir la lire à ta guise à tout moment de la journée.

Je me prépare un thé. Puis je remets Ravel. Je prends *L'homme rapaillé* sur la table du salon avant de m'asseoir. Plutôt que de tourner les pages du livre, je ferme les yeux. J'essaie de me rappeler ton visage. Tes iris de la même couleur que les précieux grains de café que tu fais pousser. Tes lèvres fines d'un rouge rose qui donnent envie d'y mordre. Les frasques brun foncé de tes cheveux qui descendent sur ton front bas. Tes sourcils qui se rejoignent au-dessus du nez, en signe de jalousie. Et pourtant... J'ouvre les yeux, prends une gorgée de thé. Je me rassure en me disant que je ne t'ai pas complètement oublié. Que tu es toujours en moi comme une promesse. Je me lève pour mettre de l'encens à brûler. Je me ressers du thé. Et enfin, lorsque je reviens m'asseoir, j'aperçois par la fenêtre, déjà haute dans le ciel encore clair, juste au-dessus du tilleul : la lune. Légèrement roussie par les derniers feux du jour, il ne lui manque qu'un croissant pour être pleine ; elle semble me sourire, l'air de dire :

— Ça ira.

* * *

En entrant, Lennie a claqué la porte de l'appartement. Elle fonce sur moi, je le sens. Une panthère. Je suspends ma lecture un instant. Elle s'arrête, posant les yeux sur moi. Elle est magnifique, éclatante dans la lumière de la fin d'avant-midi. Je suis soulagé chaque fois qu'elle réapparaît. Pourtant, elle ne m'avait quitté que pour deux petites heures.

Sans même un mot pour moi, elle s'enferme dans la salle de bain.

— Bonjour, Lennie, tenté-je sur un ton moqueur. Au mouvement qu'elle fait derrière la porte close, je sens un orage inhabituel chez mon amoureuse. J'ai l'impression à un moment donné qu'elle a cassé quelque chose. Comme je ne sais pas trop comment réagir, je reprends ma lecture. Et Lennie reparaît alors que je baisse les yeux. Malgré le désordre inhabituel dans ses cheveux. Malgré le tremblement de ses mains. Malgré les cernes qui grignotent ses joues. Malgré cet air de fin du monde qu'elle trimbale, moi – l'Abruti – je ne vois que ses seins papillonner contre l'étoffe légère de la chemise qu'elle m'a empruntée. En détournant le regard pour retrouver mes esprits, je remarque que l'horloge s'est arrêtée. Qu'il y a de la poussière dans la bibliothèque. Je songe aux derniers accords d'une chanson triste, au désir qui sommeille en nous comme une bête… Je pose mon livre au moment où Lennie a décidé de fondre sur moi. Je ne vois rien de la brouille qu'elle a au fond des yeux, je sens seulement sa main glissant sous mon chandail. Et je sens que je suis sur le point de défaillir. Je lui mordille le menton, les lèvres, le cou. Je m'abandonne aux chatouillements furtifs de ses doigts. J'ai la bouche remplie de ses parfums. Les mains pleines d'elle. Elle approche dangereusement les diablotins logés au pôle magnétique que j'ai au bas du ventre, et je retiens mon souffle avant mon envol… Puis elle se retire comme si elle avait oublié quelque autre incendie. Ailleurs.

Je lui fabrique ma plus belle moue en lui tendant la main. Mais elle me fait signe d'arrêter. C'est le nord au complet qui flanche dans mon esprit. Je ne trouve rien à dire. J'esquisse le mouvement de me lever du fauteuil, mais elle me somme de rester assis. Je ne suis plus certain de comprendre ce qu'elle attend de moi. Encore magnétisé par le contact de nos corps, j'attends quelques secondes. Je suis un égoïste fini, mais à cet instant précis, je m'en fous. Immobile. Je sens une immense lassitude gagner peu à peu mes membres.

— Jonas, tu m'aimes?

Oh que oui. Comme un pauvre demeuré. Je t'aime comme le silence, la nuit. Comme les bonbons au sirop d'érable. Comme les histoires de Tim Burton ou comme un disque d'Harmonium. Je t'aime. Parce que c'est ce que j'ai trouvé de mieux à faire. Parce que tu es belle comme l'été des Indiens. Parce que lorsque tu dessines, comme maintenant, de l'ombre dans la lumière d'entre mes quatre murs, tu me fais valser le cœur sur un fil de fer, et que je perdrais volontiers tout ce que j'ai à perdre pour te toucher seulement. Je t'aime, oui. Je t'aime. Mais j'ai envie de te laisser en douter. J'ai envie de te laisser au bord de l'abîme, de la même façon que lorsque tu me déracines de toi. Pour te faire goûter l'amer du néant. Mais je t'aime. Vraiment.

— Mais oui, Lennie, je t'aime, lui dis-je en me levant pour me rapprocher d'elle.

Elle s'adosse au mur rouge, celui de la bibliothèque et des cartes postales de la Côte-Nord envoyées par Manue. Je saisis ses mains en cherchant son regard.

— Je t'aime aussi, me dit-elle d'un air presque désolé.

— Je ne voudrais surtout pas t'obliger.

— Je suis enceinte, Jo…

— Oh…

Je remarque finalement ses yeux rougis par les larmes. Je pose mes lèvres sur son front, ses paupières, son nez. Je n'ai pas peur. N'aie pas peur, petite Lune… toi qui habites là où personne ne s'est jamais rendu : dans les lignes de ma main, dans la flexion de mes bras, dans le creux de ma gorge. Enceinte, dis-tu. Tu es enceinte. Je n'y crois pas encore tout à fait. Je n'ai pas encore mesuré l'ampleur de la question. Mais oui, je le veux. Et j'ai envie de te prendre contre moi, de te faire l'amour comme on cueille une rose, de t'épouser si c'est pour te prouver que je t'aime.

À partir de maintenant, plus rien ne compte. Car il y a, sous mes yeux, l'amour d'une femme. Les larmes de cette femme. L'espoir et la détresse confondus de cette femme. Je prends son visage entre mes mains.

— Est-ce que tu le crois que je t'aime, Lennie?

— Ben... oui. Tu l'as dit tantôt, me répond-elle en levant ses yeux mouillés vers moi.

— Non. Je veux dire, le sais-tu vraiment?

— Jonas, oui... dit-elle en esquissant un sourire alors qu'une grosse larme roule sur sa joue.

— Alors, ça ira, dis-je en l'embrassant à l'intérieur du poignet, juste dessous la paume, là où l'avant-bras se greffant à la main fait la peau si douce. Je voulais seulement que tu le saches.

* * *

Fernando riait. Irisant magnifiquement la fatigue ensablée dans le coin de ses paupières, il riait. Un rire franc. Limpide comme le ciel. C'est son corps en entier qui riait. Son visage brillait et ses lèvres étaient tendues en un sourire qui ne semblait jamais vouloir s'affaisser.

Tandis que moi, j'avais les yeux dans les paumes, incapable de les lever vers lui, Fernando riait. La veille, j'avais trop bu. Et l'avant-midi s'achevait dans le brouillard encore épais de l'alcool. Dans l'air saturé par l'odeur de la *sopa azteca* que l'on réchauffait sur le feu, au cœur du froufrou moiré des feuilles des citronniers et des avocatiers, je me sentais chanceler sur mes pieds.

Fernando riait comme un enfant, me tendant un énième verre de tequila. Et Vilma, par-dessus les têtes et les visages qui s'agitaient dans la lumière crue de midi, tendait vers moi son regard chargé d'interrogations. Je venais d'apprendre que j'étais un pauvre type. Et c'est de cela que Fernando riait. Parce que j'avais honte de m'être laissé aller au doux hâlé de cette peau. Un soir de tequila, j'avais si bien perdu le nord que Vilma m'avait gentiment ouvert ses bras. Il y a eu un second soir. Sans tequila, celui-là. Simplement pour la folie de retrouver le goût du sel sur sa peau. Son parfum de fruit mûr. La fermeté tendre de sa chair. De me laisser emporter par le rythme de ses hanches endiablées. Et puis, un autre soir, parce que la folie est plus forte que tout, que la furie de ce corps m'était devenue une véritable drogue. Le feu sourd de ce regard me hantait à cœur de jour. Me chatouillait au bas du ventre. Fernando venait de m'annoncer l'âge de Vilma. Je n'étais pas si vieux, mais elle avait presque dix ans de moins que moi. C'était presque une enfant. C'était trop pour moi.

Je n'ai pas pensé un seul instant à Manue. (Je me dis qu'il aurait peut-être fallu, mais bon… trop tard que c'est.) Il n'a jamais été question de tromper qui que ce soit. Ni de morale. Ni de trahison. Ni même d'infidélité. Nous sommes libres tous les deux, que je me sers en guise d'excuse. Manue appartenant à une autre sphère, située hors du marasme dans lequel je patauge ici. Jusqu'à ce que Fernando m'annonce l'âge de la petite, j'avais été prêt à tout assumer. Mais à partir de ce moment, je me suis transformé dans mon esprit en un salopard de la pire espèce, un genre commun de poule sans tête qui ne réfléchit qu'avec cette trique qui lui pend bêtement entre les jambes. J'ai eu peur de moi-même et, pour quelque temps, j'ai choisi de démissionner de tout.

Question de retrouver peu à peu les nœuds de mes ancrages, je suis parti. J'ai marché à travers le pays pendant des semaines à la recherche de ce qui n'est écrit dans aucun livre. J'ai rencontré les gens et j'ai grimpé dans les arbres. J'ai descendu le cours d'une rivière en nageant. J'ai joué aux échecs en me remémorant une nouvelle fois ce jour de printemps, percé d'une lumière éblouissante, où mon père m'avait expulsé de sa vie quand je lui avais annoncé que je souhaitais abandonner mes études de médecine. Il avait vu rouge. Après avoir envoyé valser sur le mur de la cuisine un vase de cristal rempli de roses jaunes, il m'avait empoigné par la gorge et m'avait poussé contre le mur. Je lisais dans ces yeux le « p'tit merdeux, p'tit merdeux... » qu'il n'a jamais osé me lancer à la figure. Et comme je sentais que je commençais à manquer d'air, je l'avais repoussé. Insulté, il avait foncé sur moi. Par un formidable réflexe d'autodéfense, je lui avais envoyé mon poing dans la figure. Humilié, il s'était mis à hurler. À menacer d'appeler la police. Il avait finalement montré la porte. Et moi, muni de mon seul paquetage d'étudiant sortant de ses examens, j'étais parti sans me retourner. Le pantalon, le t-shirt et le blouson que j'avais sur le dos. Un cartable de cuir. Quelques livres de poésie, dont Miron. Deux ou trois crayons. Un agenda. Du papier. Quarante et quelques dollars en poche. Au premier café que j'avais rencontré sur ma route, je m'étais assis pour écrire une lettre à ma mère avec qui j'avais tenu à garder le contact. Elle avait tenté de me parler de mon père à quelques reprises, mais j'avais vite clos le sujet. Il n'avait qu'à le faire lui-même.

Et j'ai bu la meilleure limonade du monde, dans un bar de Palenque. J'ai chanté du Brassens en espagnol. J'ai lancé des cailloux dans les vitres de voitures abandonnées. Je me suis laissé tenter par les effets paralysants du peyotl. J'ai songé à me noyer dans la mer, mais, à ce moment, j'ai pensé à Manue. À ses bras autour de mon cou lorsque nous conférons au mot amour toute sa force silencieuse. Et je me suis laissé ramener sur le rivage par la marée. J'ai mis du sable blanc de cette plage dans une bouteille. Et j'ai recommencé à marcher.

À quelques kilomètres de la frontière des États-Unis, j'ai écrit à Manue que je ne la rejoindrais pas. Pas cette fois. Et puis, rien. Pas de cris ni de larmes. Le cœur resté tranquille dans sa coquille. Pas de débordement ni de colère. Je ne sais pas à quoi je m'attendais. Mais ce ne fut rien, sinon, de nouveau, mon impérissable – ma terrible, mon extraordinaire – liberté pour bagage. *Je comprends,* qu'elle écrit. Mais de quel bois es-tu donc faite ? Je n'avais même pas à lui reprocher d'essayer de m'*engeôler.* Je n'avais aucune raison de l'abandonner. Alors, j'ai rebroussé chemin.

Sur les bords du golfe du Mexique, j'ai écrit :
Je refuse que tu occupes cette vacance au cœur de mon être.

Et plus tard, avant d'entrer dans Mexico :
J'avais une vie avant toi. Oui. Avant toi j'étais un homme égaré, mais libre. Capable d'instants de bonheur intense.
Maintenant je continue d'être un homme égaré et libre, mais je commence à me demander ce que je cherche si loin de toi. Le Mexique est toujours aussi mythique. C'est un pays que tu aimerais, il me semble. Avec ses rouges et ses turquoises que l'on dirait sortis directement de tes tubes de couleur.
C'est comme si je voyais sourire ton visage.
Je voudrais que tu sois là. Pour partager avec toi les palpitations sous ma peau. Mes insoutenables envies de rire.

Plutôt que de signer, j'ai jeté le papier dans une poubelle de la capitale. Mexico est une ville impossible. Sans ciel. Insolite. Aliénée. Irrespirable. Monstrueusement humaine. Selon les quartiers, on y respire l'odeur rance du tourisme de masse ou celle, plus fétide, du Tiers-Monde. Je déteste les villes. Et lorsque je suis dans Mexico, je les déteste plus encore. Dans le dédale des rues, je me suis acheté un *tamale de frijoles* que j'ai dévoré en foulant les pavés souillés de crachats et de mégots. Plus tard, je suis allé me perdre dans les jardins flottants de Xochimilco. J'ai dormi un peu. À la fin de l'après-midi, j'ai attrapé de justesse un petit autobus pour le Guatemala. J'avais besoin d'encore plus d'air, mais la route allait être terrible.

J'étais presque parvenu à oublier Vilma. Le bronze coulant de ses épaules, de ses petits seins, de ses cuisses… Presque, je dis bien. Je savais bien que, lors d'un éventuel retour à la *cooperativa*, j'aurais à affronter le regard de ses parents, mais vu d'ici, c'était devenu un détail. Le plus affolant était maintenant de le constater : Manue occupait tout l'espace. Et elle n'exigeait rien de moi. Sinon que je passe de temps en temps faire exulter les corps. J'étais même sur le point de me convaincre que c'était justement si elle me laissait croire qu'elle n'avait pas besoin de moi qu'il me fallait à tout prix me loger dans sa mémoire tel un éclat d'obus. Pourtant, c'était évident : chacun de ses silences couvait dix mille de ces réquisitions à vous faire ployer l'échine par amour de la belle et vous rendant, tout à la fois, légèrement étranger à vous-même. Pourtant, je le sentais, elle perdait pied à chacun de mes départs. Et j'admirais d'autant plus l'immuable liberté qui lui permettait de me laisser courir mon marathon effréné contre moi-même.

À la frontière entre le Mexique et le Guatemala, j'ai essayé de téléphoner à Manue. Car pour la première fois du monde, elle me manquait réellement. Et j'avais envie de le lui faire savoir. J'ai dû laisser sonner vingt-cinq fois. En vain. Elle devait être au boulot. Ou bien elle peignait. Elle pouvait écrire une lettre. Ou bien elle piochait dans un essai sur le socialisme. Je me surprenais à me demander comment elle vivait en mon absence. Très bien, sûrement. J'avais envie de savoir quels gestes elle posait, ce qu'elle mangeait, quelle couleur elle apposait sur la toile… et j'ai senti mon cœur se serrer. J'avais envie de lui dire que je me sentais un peu triste d'être parti aussi loin pour finalement trouver des brins d'elle à chaque méandre du chemin.

En attendant que l'autobus reprenne sa route, je me suis rappelé, en marchant les mains dans les poches, le jeu d'échecs avec lequel mon père m'avait appris à jouer. Les échecs et mes études avaient été les seules choses qui nous unissaient. C'était un jeu magnifique avec des pièces de bois sculpté, mais auquel il manquait, depuis toujours, un cavalier blanc. En général, mon père ne semblait pas en faire de cas, mais au pincement de ses lèvres lorsqu'il lui arrivait de jouer avec les blancs, on sentait que quelque chose l'agaçait dans cette absence. Un très beau jeu, oui, une pièce d'un rare raffinement, mais qui restait inutilisable à moins de remplacer le cavalier manquant par un quelconque artéfact. Ce que nous faisions. Mais un jour, mon père s'était débarrassé du jeu sans me demander mon avis. J'avais été furieux. Et nous n'avions plus jamais joué ensemble.

J'étais ce jeu d'échecs. Un peu ridicule dans la poussière de la fin du jour. Inutile en somme. Inuti-lisable. À force de penser à Manue, il me venait soudainement des envies de marcher jusqu'à elle. Elle était ce cavalier qui faisait défaut à mon artillerie. À ce moment précis, c'est elle qui me manquait pour que je sois complet. Alors que je m'approchais du téléphone afin de tenter, une dernière fois, de la joindre, le chauffeur a signalé le départ d'un coup de klaxon. Je suis revenu sur mes pas, les mains dans les poches.

Un peu plus loin, sous les arbres, du côté guatémaltèque, un gamin dessinait dans l'air, avec un bout de branche, des cercles invisibles. J'ai acheté une carte postale à une vieille Indienne qui semblait aveugle. Elle m'a fait un signe de la tête lorsque j'ai placé ma pièce de monnaie dans sa paume parcheminée. Je suis monté en vitesse dans le bus en marche.

À la *cooperativa*, ils devraient attendre. Parce que moi, j'avais une fille à voir.

Jonas

C'est triste, une pluie de juin. Désespérant, même. La journée avait été horrible. J'avais bien tenté de me raconter des histoires de soleil. De me perdre dans une vague rêverie aux couleurs de fleurs de pommiers. De nommer les chants d'oiseaux entendus sur le chemin. Mais rien n'avait tenu. J'étais aveuglée par la fatigue. Je mourais de faim et il n'y avait aucune lumière chez Jonas. Avec un peu de chance, dans le réfrigérateur, il resterait un bout de fromage, des artichauts, du jambon, et j'écouterais un bon film à la télévision. Au pire, je pourrais sortir sans parapluie et marcher pendant des heures à la recherche de rien du tout. Au mieux, je m'effondrerais de sommeil en refermant la porte derrière moi et je me réveillerais demain matin avec, dans les yeux, la promesse d'un jour tout neuf.

Mais avant même que j'insère ma clé dans la serrure, j'ai su qu'il était là. J'ai dû sentir son odeur à travers le bois de la porte. J'étais certaine de le trouver de l'autre côté. J'ai posé ma main sur mon cœur et suis rentrée chez moi. Il y avait de la buée aux fenêtres et le lampadaire mouillait de sa lumière les murs de l'appartement et les cheveux de Simon. Simon. Il était là. Il m'était revenu, Simon. Ma mousson. Mon été. Ma marée haute. Mon épine dorsale. Mon étoile du Berger. Je retrouvais le nord. J'étais tellement – mais tellement – soulagée. Je n'aurais plus besoin de faire le décompte des jours. J'en avais même oublié mon désarroi. Et pourtant, ça ne faisait qu'un mois. Trente petits jours que j'avais perdus à me répéter d'oublier Simon.

Simon. Son odeur remplissait la pièce. Il avait mis un disque d'Erik Satie. J'aurais voulu qu'il ne bouge jamais. Que dure toujours cet instant de magie, avec mon regard coulant de sa nuque sur son dos. Que je consomme ma joie éternellement. Qu'il ne songe plus jamais à se lever pour partir. Il était le centre de mon univers. Mais mon cœur battant la chamade m'a trahie, car Simon s'est retourné vers moi. J'ai senti des larmes brûler mes yeux. Je me sentais revivre même si du fond de moi jaillissait la certitude de son départ prochain.

Il s'est levé. M'a regardée quelques instants, une esquisse de sourire au coin des lèvres, puis a marché vers moi. Il a embrassé mon front pour me saluer. A enlevé cérémonieusement mon manteau qu'il a jeté par terre en me regardant dans les yeux. Il a effleuré ma joue du bout des doigts et a embrassé mes paupières, mes tempes. Et quand il a finalement posé ses lèvres sur les miennes, j'ai cru que j'allais m'effondrer. Je me suis agrippée à lui pour ne pas tomber, bien décidée à ne pas le laisser s'enfuir, pour cette nuit, du moins. J'aurais voulu insérer mon corps dans le sien, qu'on nous confonde. Il était là. Il était à moi pour quelques heures. Durant de précieux instants, la mort, la pluie, le manque d'argent, le monde entier n'existeraient plus. Il n'y aurait que lui contre moi, le cœur en bataille. Toute ma vie, mon espoir démesuré, mon attente se retrouvaient dans le beau visage que je tenais entre mes mains.

— Simon, ai-je dit pour reprendre mon souffle, Simon…

Il a refermé la porte restée entrouverte derrière moi et m'a serrée contre lui. J'ai respiré dans son cou des odeurs que je me suis bien juré de ne jamais oublier. En silence, je le sommais de ne plus jamais me laisser aussi longtemps sans lui. Nous sommes restés de longues minutes l'un dans l'autre, sur le tapis. J'étais débarrassée complètement de ma colère, de mon sentiment d'impuissance, de mes doutes. Il était là. Il avait préparé des suprêmes de pamplemousse arrosés d'un sirop au miel. De la soupe thaïe. Il avait acheté du vin rosé. Du café et du chocolat noir. Des capucines pour la salade. Mais nous n'avons rien goûté. Il avait apporté un recueil de poésie qu'il avait lancé sur le lit. Une couverture mexicaine. Du linge sale et du sable dans ses bagages. Ses *rangers* mouillés montaient la garde près de la porte. Son sac et son chapeau. Mais nous n'avons rien déplacé. Une fois que j'ai eu écarté les pans de sa chemise, il n'existait plus rien d'autre que nos corps, heureux de se reconnaître.

Au moment où je me suis retrouvée sur lui, avec ses mains me tenant par les hanches et mes seins battant la mesure, il a soufflé :

— Tu sais que c'est très long de marcher jusqu'ici…

Plus tard, il a posé la tête sur mon ventre. Et mes doigts se sont emmêlés dans ses cheveux. Nous nous sommes rendus au lever du jour à nous raconter des histoires de pluie, de beauté, de grains de café et de peinture à l'eau. J'aurais voulu que ça dure toujours. Alors que le soleil s'élevait finalement en rouge au bout de l'horizon, il est remonté jusqu'à moi. Au seuil de l'extase, j'ai pris son visage entre mes mains et lui ai dit :

— Je t'aime, Simon. Je t'aime.

Il n'a pas baissé les yeux mais n'a rien dit.

Nous avons mangé les pamplemousses, bu le vin et le café. Lu de la poésie et fait l'amour encore. Encore. Encore. Jusqu'aux lueurs de la dernière aube. Je ne suis pas rentrée travailler pendant deux jours. Après il a repris la route. Obligé, qu'il disait. Je lui ai alors enroulé un de mes plus beaux foulards autour du cou. Je lui ai aussi refilé un sac, des lunettes de soleil et une casquette à la Fidel Castro. Il s'agissait de laisser ma signature sur ce beau corps. Il s'agissait de faire savoir au monde entier que c'était MON homme. Il s'est laissé déguiser en souriant. Et il a dit, avec son index et son majeur contre la tempe en guise de salut :

— À bientôt, petite Abeille.

* * *

Les héros ont déserté son ciel. J'ai rendu les armes. Et me suis retrouvé à genoux sur un chemin semé de pierres. Le cœur pulvérisé. Des éclats de verre dans le ventre. Avec, dans la tête, une chanson de *gringo* que je me traduisais à mesure. J'ai cru pendant un moment que je saurais dire à Manue que je l'aimais. Formuler l'intraduisible lové au creux de mon être. La bête sauvage a failli lâcher ses gros sabots aux pieds de la belle. Mais il ne s'est rien passé.

Car j'ai cru que j'inventais l'amour, oui, à chaque pas qui me ramenait à elle. De mes gestes nus. De mon cœur chauffé à blanc. De ma seule présence à ses côtés. *Coule-moi dans tes mains de ciel de soie / la tête première pour ne plus revenir / si ce n'est pour remonter debout à ton flanc / nouveau venu de l'amour du monde.* Mais lorsque j'ai retrouvé ses yeux posés sur moi, ses rires parfaits, la finesse de ses approches, j'ai dû admettre que je n'inventais rien du tout. Manue connaissait tout ça sur le bout de ses doigts. J'avais l'air d'un idiot. Imparfait, frémissant.

Il ne me restait plus qu'à partir, mais je suis resté posté de longues minutes sous les fenêtres de son appartement. Les yeux fixés sur les rideaux tirés malgré le soleil qu'elle laissait d'ordinaire entrer chez elle. Elle s'était mise en quarantaine. Et moi, prisonnier de son parfum à cause de l'écharpe dans laquelle je plongeais le nez, j'ai marché dans les rues autour de chez elle. Sans trouver les mots pour lui demander de prendre la route avec moi, sans trouver le courage de remonter chercher sur ses lèvres le dernier baiser que j'y avais laissé. Je n'avais plus envie de partir. La route étrangement avait perdu de son attrait. J'ai grimpé dans un des tilleuls du parc à la recherche d'un horizon. En vain. Alors j'ai choisi de m'étendre sur le sol pour contempler le ciel. Je savais qu'on ne m'attendait plus là-bas. Mais il fallait que j'y retourne, par principe. Revoir Vilma. Boire une dernière tequila à la santé du soleil avec Fernando. Courir jusqu'à plus de souffle sur le chemin de terre battue. Sentir les feuilles de maïs taillader ma peau lorsque j'effectuais les différentes étapes du dépistage phytosanitaire. Dévorer les tortillas de *maiz* que Maia préparait en chantonnant dans l'aube. Sentir la terre chaude et sèche sous mes pieds nus. Cueillir une mangue mûrie à point, la peler, y mordre à pleines dents et sentir, une dernière fois, le jus épais couler sur mon menton. Entendre le chant du vent dans les feuilles et le cri des différentes espèces animales suivant l'heure de l'aube ou du couchant. Croire à peine aux mille touches multicolores du *titira*, de l'*uracca*, du *chepito* et du *tucaneta* dans les arbres. Marcher dans cette forêt neuve avant le coucher du soleil. Jeter un œil sur la nouvelle récolte de café.

Il me fallait faire convenablement mes adieux aux gens. Au pays. Marcher à travers la place du Zócalo, le samedi après-midi. Me perdre à nouveau dans les jardins flottants de Mexico. Serrer des mains. Croiser des regards. Ce pays m'avait enchanté. Pour la première fois, l'idée m'effleurait de laisser derrière moi ce petit bijou de milieu de vie bâti à force de travail et de persévérance. Mais j'aurais espéré que Manue m'accompagne dans ce départ. Et moi, je ne savais pas demander ce genre de choses. J'ai sorti un livre de mon sac, mon dernier repère habitable, pour lire un peu avant de quitter la ville comme un *desperado*. Je me suis endormi, je crois, avec le livre bleu ouvert sur ma poitrine.

J'ai trouvé un inconnu à mes côtés lorsque je me suis éveillé. Il me semblait que le jour avait considérablement baissé, mais je n'en étais pas certain. J'avais envie d'un café noir. Un groupe d'enfants chantait un peu plus loin. J'étais mal à l'aise de l'avoir à mes côtés, lui. Avec son petit nez étroit et légèrement pointu, ses lèvres malicieuses et son air mystérieux, il avait l'air d'un elfe. Il regardait devant lui en silence. Un pilier aux aguets. Et il tenait mon livre entre ses mains, jouant avec les pages pour occuper le temps. Je me doutais bien qu'il n'était pas là pour observer les oiseaux ou les filles. Il m'avait attendu et il avait l'avantage de m'avoir attendu longtemps. Pour moi, ce n'était qu'une apparition.

— Simon ? a-t-il demandé sans tourner les yeux vers moi.

— Lui-même. Et toi ?

— Aucune importance.

Ah, voilà Jonas qui entre en scène, me suis-je dit. Nous n'avions jamais été présentés, mais cette prévoyance ne pouvait appartenir qu'à lui. Manue m'avait glissé un mot, un jour, à propos de l'ancien amant devenu ami. Je me suis adossé à l'écorce rugueuse pour être à sa hauteur.

— Ça va finir quand, cette mascarade ? demanda-t-il.

— De quoi on parle déjà ?

— De Manue, me dit-il en montrant l'écharpe que j'avais autour du cou.

J'étais sans voix. Mon cœur s'est affaissé dans ma poitrine. J'avais toutes les misères du monde à justifier ma conduite envers elle. Je m'en voulais de lui imposer ma fuite. Je m'en voulais de ne pas savoir lui dire combien je l'aimais. Je m'en voulais même, certains jours, de l'aimer. Je ne savais pas quoi dire à ce magicien surgi de nulle part. Je ne savais même pas quoi dire à Manue elle-même. Je devenais un bloc de silence à son contact, puisque je n'avais qu'à la regarder évoluer d'une chose à l'autre pour me sentir bien. Pour me sentir à ma place. Et il n'existait pas de mots assez beaux pour décrire ça. Je l'aime. C'est mon pays, Manue. Ma terre. Mon cœur figé dans l'ambre. Mon feu de Bengale. Ma rose des sables. Ma pleine lune, Manue.

— Je l'aime... laissé-je tomber en un soupir incertain, les yeux baissés. Je l'aime, ajouté-je en me ressaisissant à peine.

J'avais envie de lui dire de me rendre mon livre. De me foutre la paix avec ses grandes questions. J'avais envie de me lever et de partir sans rien dire. Et alors, j'aurais eu l'air d'un beau salopard. Il avait l'air tellement serein, ce Jonas. Il pouvait bien venir s'asseoir à côté de moi et ne rien dire. Il vivait dans une autre sphère, lui. Où l'on ne posait que les gestes parfaits et où seules les belles choses étaient dites.

— Fais attention à elle, dit-il. Je ne l'ai jamais vue comme ça. Si épanouie et si ravagée en même temps. Laisse-lui ses ailes, c'est tout ce que je te demande...

La voix de Jonas était belle. Douce et apaisante. Un ou deux tons plus bas que la mienne. Il parlait d'une manière assurée, mais posée. Laconique, mais précise. Il savait ce qu'il faisait. J'avais envie qu'il soit mon ami. Mais ce serait pour un autre jour. Il s'est levé, m'a salué de deux doigts contre la tempe, puis il est parti avec mon livre préféré.

* * *

Elle a couvert de bleu intense une toile. Avec quelques filets de rouge clair et de noir, elle a intitulé ça *Rage*. Je sais que c'est encore plus que cela. Mais c'est ce que j'en comprends pour l'instant. Elle s'est fabriqué un collier de coquillages. De ces coquillages que l'on ramasse sur les plages de toute une vie et que l'on relègue aux oubliettes d'un tiroir, parmi les bouchons de liège, les pièces de monnaie étrangère et les vieux billets de spectacle. Une petite merveille dans son cou. Elle a aussi teint ses cheveux en rouge. Comme si elle avait mis le feu à un pan de sa vie. Mais Simon restait omniprésent dans chacun de ses silences, dans chacun de ses regards à la fenêtre, dans chacun de ses sourires. Le feu en personne, Simon. Il a volé son âme à Manue, puis il s'est enfui avec pour le Mexique. Pareil à un de ces criminels de film américain, qui disparaît dans un nuage de poussière, à la hauteur de Tijuana. Impuni.

Rage. Plutôt que de ne rien dire. *Rage*. Pour ne pas pleurer. *Rage*. Pour tromper l'attente, le vide… *Rage*. Pour se faire croire qu'elle est encore vivante. *Rage*, dans ses yeux. Dans ses gestes. *Rage. Rage. Rage.* Elle ne dit rien, elle attend. Elle l'attend, lui, les poings serrés, les bras croisés sur sa poitrine, l'air de dire : TEMPORAIREMENT INDISPONIBLE… couvrant ainsi l'obsédante courbe de ses seins. Elle a de la peinture sur les joues, sur les mains et sur les vêtements. Je suis assis dans le fauteuil vert, vaguement étranger à cette histoire. Moi aussi, j'attends, mais je suis patient. Lennie est partie pour le reste de la semaine. J'ai tout mon temps. Je me propose de préparer une limonade quand Manue se retourne enfin.

— Je vais avoir besoin de toi, échappe-t-elle.

— Pardon ?

— Montre-moi de nouveau ce que c'est, faire l'amour.

Dehors, une véritable tempête de pluie. Ces derniers jours, l'air s'est gorgé d'humidité. Malgré les fenêtres ouvertes, la température reste suffocante. De quoi rendre le plus stoïque des hommes complètement fou.

— Mais à quoi tu joues ? tenté-je.

Elle fait celle qui n'a rien entendu. Je suis convaincu qu'elle se moque de moi. Qu'elle veut s'amuser à mes dépens. Je cherche son regard pour m'assurer qu'il n'y a pas erreur sur la personne. Bien sûr qu'il y a erreur sur la personne. Mais je veux m'assurer que ses invectives me sont bien destinées. Qu'elle est sérieuse. Dans mon esprit, une sirène se met à hurler et produit une décharge dans tout mon corps. Dehors, un éclair fend le ciel de part en part. Je suis prêt. Comme si j'avais attendu que ce jour arrive. Enfin. De nouveau.

Elle s'avance vers moi, brisant l'air d'une démarche volontaire. Je reste muet. Mais je me dis : non, ce n'est pas moi qu'elle veut. Et pourtant, je suis suspendu à l'ondulation de son corps. Je lui envoie un clin d'œil en signe d'assentiment. Et elle rit. Un immense rire de gorge. Plus triste que gai, à vrai dire, mais elle rit.

Je m'avance sur mon siège. À ma hauteur, elle déboutonne sa blouse et commence à caresser son ventre. Comme si elle n'attendait qu'un signal de ma part pour se défaire des barrières entre sa peau et l'air libre. Je tends les lèvres, abasourdi par ce qui est sur le point de se produire. Et je commence à parcourir de ma bouche la topographie de sa chair. Je lèche les petits poils autour de son nombril. Remonte jusqu'à la base de ses seins que je presse entre mes mains. Je parcours son corps comme on traverse une longue nuit de veille. Je remonte peu à peu à la source jamais tarie de mon désir. J'ai l'impression de rêver. Elle joue dans mes cheveux alors que je m'apprête à dégrafer son pantalon. Nous foulons un chemin que nous étions presque parvenus à effacer. Sa tête projetée vers l'arrière, elle s'abandonne. Puis elle se ressaisit, pose sa main sur mon front, me regardant dans les yeux, elle me dit, sombrement :

— Je ne crois pas que Lennie apprécie ce que nous sommes sur le point de faire...

Ah oui, Lennie. J'ai failli l'oublier, quelque part sur le chemin miné qui me menait à Manue. Non. Pas vraiment oubliée, simplement enlevée de mes repères, de mon esprit. Je me suis laissé porter par les vagues abstraites du vertige. Et je retombe sur terre. Je la retrouve, Lennie. Intégrale, logée dans mes pores. Je retrouve, épinglé dans ma mémoire, mon unique véritable souvenir. Avec une brûlure au ventre. Ma belle lueur d'espoir avait pâli un moment. Mais soudainement, cette mise en scène devient impossible. Manue s'agenouille devant moi, l'air assommée.

— Non, Manue. Je n'irai pas là. Désolé.

Je tends la main pour garder intacte la distance entre nous. Elle me sourit pour me dire qu'elle comprend. Je sais qu'elle n'est pas fâchée. À peine déçue. C'était plus un jeu qu'une réelle tentative. Je sens que j'ai quand même échoué quelque part. Je me lève, l'embrasse sur le front. En refermant la porte derrière moi, il me semble l'entendre crier : «Je le savais. Je le savais que tu ne pourrais pas te rendre au bout, espèce de lâche !» Mais je sais que c'est seulement en moi que les mots résonnent. Au-dehors, l'orage continue de diluer les contours du monde.

Je déteste la pluie. Je déteste marcher sous la pluie. Je ne cours jamais sous la pluie. Mais aujourd'hui, je compte me rendre au bout de mon souffle, de mon imbécillité, de mon incommensurable lâcheté...

Septembre

Le vent se cogne aux fenêtres comme un mendiant. S'il s'arrêtait de souffler, ce vent, peut-être m'atteindrait le plaisir simple du chant des merles ou du froissement de leur envol par la fenêtre ouverte. Baignant dans le soleil, j'écoute Ella Fitzgerald en fumant une cigarette – sauge et tabac – et en relisant de longs passages de *L'homme rapaillé.* Bientôt, je ferai chauffer de l'eau et me préparerai un thé vert dans lequel je jetterai quelques feuilles de menthe et une pointe de miel. J'en sifflerai la première gorgée en fermant les yeux comme si je volais une miette de bonheur au monde entier.

Je suis allé reconduire Manue à pied. Nous sommes partis plus tôt et nous avons emprunté un grand détour pour nous rendre à l'université dans le matin glacé. Il me faisait plaisir de sentir contre ma hanche sa chaleur tendre s'agiter. Devant le monstre de béton d'un des pavillons, j'ai posé mes lèvres sur les siennes avec des mots nouveaux qui s'entortillaient comme pour la première fois sous ma langue. Sans pour autant que je puisse les formuler encore. Puis, je l'ai regardée, frémissant, gravir les marches vers le travail.

Je suis revenu sur mes pas, tout seul, le cœur dans les poches, avec dans mon ventre comme un oiseau noir. Je me sentais pourtant à la fois léger et rieur. Oui, je t'aime. C'est tout ce qui résonnait en moi. Ce n'était pas si compliqué à dire finalement… pourvu qu'il n'y ait personne en face de toi pour que les mots prennent refuge. Soudainement a jailli de nulle part, dans mon cerveau électrisé, cette phrase inutile à l'adresse de l'humanité : JE SUIS HONNÊTE, MAIS JE DÉTESTE LE BRUIT DES VOITURES... Je suis parti d'un grand éclat de rire qui a fait se retourner sur moi deux dames à cheveux blancs. Je leur ai servi mon plus ravissant sourire et ça les a fait rougir. J'avais envie de danser et de grimper dans les arbres. J'ai dépensé quelques dollars en tournesols chez une fleuriste qui m'a parlé de Klimt en souriant. Aussi, j'ai acheté des filets de saumon, une botte de coriandre, des citrons verts, de la crème et des bleuets. Je me trouvais drôlement pitoyable dans mon costume d'amoureux transi, mais j'avais envie de faire une fête à Manue.

À peine une semaine que j'étais là et je ne distinguais déjà plus mon odeur de celle de l'appartement. Grâce à Manue, j'apprenais à appartenir à ce qui, d'emblée, m'était étranger. Une sorte de pays natal enfin trouvé. Je songeais que je ne passais pas assez de temps de ce côté-ci des frontières. Je songeais que je devrais, un jour, m'installer, même si ce n'était pas ici. Ça ne me va pas si mal, cette petite vie cloisonnée. Cette errance quadrillée de rues et de quartiers. Comme le rhinocéros, dans un zoo, se rassasie dans le mouvement qui lui fait faire douze mille fois le tour de son enclos en une année. Pourvu que dans son esprit il ait la conviction d'être libre, le reste importe peu. Je savais que l'histoire du Mexique tirait à sa fin. Encore un ou deux passages sur cette terre, et je passerais le flambeau à un couple formé d'un Danois et d'une Coréenne, amoureux de l'endroit. Pour moi, c'était terminé. Bientôt, je ne saurais donc plus vers où m'enfuir pour préserver mon centre nerveux. Ma liberté.

De retour à l'appartement, j'ai ouvert les fenêtres et lavé le plancher. J'ai traîné quelques instants dans l'atelier à contempler cet espace qui n'était pas le mien. Les pots de verre remplis de sables aux différentes textures, aux différentes provenances. Des coquillages, des cailloux, des morceaux de bois. Des éclats de verre. Les tubes de peinture. Les toiles vierges et celles bariolées de faisceaux de couleurs. Le tout nimbé de l'odeur de la peinture à l'huile. Je me suis dit qu'un jour elle devrait me raconter des bribes de tout ça pour que j'y comprenne quelque chose.

Accoudé à la fenêtre de l'atelier, j'observais le jour dévider sa lumière à travers les gestes emmêlés du tilleul. Je me surprenais à rêver d'une petite maison blanche, plantée sur un lopin de terre tranquille. Je ferais pousser des fleurs, des *chiles*, des tomates et des mûres. De la sauge pour le poulet, du basilic pour le pesto. De la lavande pour les confitures. Du fenouil pour le plaisir. Et j'élèverais des abeilles tandis que Manue dessinerait pour toujours. Ah oui, pour toujours? me suis-je dit en souriant. Qu'est-ce que ça peut bien signifier d'espérer voir quelqu'un *dessiner pour toujours*?

J'ai quitté la fenêtre pour redescendre dans la rue. Je me suis penché pour ramasser un caillou mince et rond, tout lisse, qui n'était pas à sa place en plein cœur de la ville. Les voitures s'empilaient impatiemment aux feux rouges et dans l'odeur épaisse de l'essence. Les lampadaires commençaient à cligner de l'œil, annonçant leur embrasement prochain. Et j'avançais la tête heureuse, le cœur aux oiseaux.

Normalement, je me racontais que l'homme est une petite bête terrorisée par la noirceur et le silence. Je détestais les lampadaires. Les villes. Les immeubles à logements. Les téléphones cellulaires. L'asphalte et les systèmes antivol des voitures. Je me disais que tout cela, c'était contre nature. Mais aujourd'hui, rien de cela ne pouvait ternir ma joie. J'étais intouchable.

Devant le grand édifice de béton, je me suis roulé une cigarette que j'ai eu le temps de fumer appuyé contre un autre de ces pauvres arbres des villes. Le mercure fléchissait dans les thermomètres. Puis, voilà qu'elle m'est apparue, en haut des marches grises de l'escalier. Elle a fouillé l'espace du regard avant de me trouver. J'étais demeuré immobile en attendant qu'elle me voie dans l'ombre des arbres. Elle a couru vers moi. Et je ne pouvais m'empêcher de rire. De songer à quel point j'étais heureux de la voir ainsi courir jusqu'à moi. Et j'ai couru vers elle aussi. J'étais trop impatient de la tenir contre moi. Il me semblait déjà que j'avais oublié le goût de sa bouche, les parfums dans son cou. Je l'embrassais. Sa langue goûtait la bière et le sel. Je touchais le cœur de la terre.

Soudainement, la ville entière s'est embrasée et son visage avec. Même cette goutte de peinture qui pointillait de rouge sa joue. Je lui ai tendu le caillou tout lisse que j'avais trouvé en chemin, ça l'a fait rire. Elle a parlé du décor qui prenait forme. Le metteur en scène était heureux de son travail. De nouveau, elle m'a embrassé tandis qu'elle jonglait avec le caillou. Merci. J'ai fait danser ma main tout le long de son dos. Elle s'est avancée à mon oreille, m'a dit : Je t'aime. Et moi, je la regardais. Moi aussi. Je le savais, je le sentais. Je sentais que ça brillait en moi. Comme la lampe d'un phare un soir de brume. J'aurais tellement voulu savoir lui parler de ces choses étranges qui faisaient vaciller ma belle assurance quand elle pinçait les lèvres ainsi. Au pire : moi aussi. Mais plutôt, je ravalais mes mots en baissant les yeux sur les pavés. Je la ramenais machinalement à cet appartement qu'elle remplissait de tant de chaleur de tant de beauté de tant de désespérances. Avec sa voix et ses rires et ses couleurs. La ramener là pour lui parler la seule langue que je maîtrisais. Éperdument impassible, je ne savais que marcher à ses côtés en jouant avec les noyaux de dattes et d'abricots au fond de mes poches, fredonnant *Blue Skies*, d'Ella Fitzgerald. Je t'aime, oui. Je t'aime. Moi aussi.

* * *

Il est parti avant l'aube. J'ai croqué les grains de café qui restaient dans le sac de papier brun. C'était horrible. Il y en avait 296, je les ai tous comptés. Puis j'ai eu envie d'un grand verre de lait pour tuer l'amertume que j'avais en bouche. Mais j'étais clouée au linoléum, mon cœur tonnant dans mon cerveau, mon corps envahi par une agitation insoutenable. Et tout mon être plié en quatre vers le dedans. C'est le silence opaque de l'appartement qui m'a ramenée sur terre. Puis, les premières lueurs du jour qui pâlissaient les morceaux d'horizon que j'apercevais par mes fenêtres. Et le vide me montait à la tête, comme un soir de mauvais vin, à mesure que je comprenais que Simon était de nouveau parti. J'ai sauté à pieds joints dans cette absence renouvelée. Renouvelable. Des mots d'amour tatoués au bout des doigts, le cœur en berne. J'étais presque certaine que si je l'appelais, il serait encore quelque part assez proche pour entendre ma voix. Et je pourrais alors lui raconter mon cauchemar. Je sentais la nuit s'écrouler lentement. En secret.

J'ai plaqué mes paumes contre mes orbites jusqu'à faire jaillir des étincelles derrière mes paupières. Six heures du matin. Je comprends que je n'ai pas dormi à mes yeux qui brûlent. Je suis restée assise sur le balcon une partie de la nuit, à compter les étoiles filantes, une couverture de laine qui pique sur mes épaules. J'ai lu un peu de poésie. Mais les mots me sont vite devenus une forêt dense, impénétrable. Je savais que j'aimais Simon. J'étais presque convaincue que je pourrais l'aimer toujours. Mais je ne voulais plus y penser. Septembre était triste, cette année. Je suis montée chez Jonas pour emprunter ses clés de voiture sans lui demander. Par bonheur, la porte n'était pas verrouillée. J'entendais de la musique en sourdine. L'air embaumait le café. J'ai trouvé Jonas, les yeux grand ouverts, assis dans son salon.

— Qu'est-ce que tu fais là? sont les premiers mots qui me sont venus à l'esprit, vu ma surprise.

— Je suis chez moi, m'a-t-il répondu, impassible.

— ...

— Et toi?

— Quoi, moi?

— Tu parles d'une heure pour entrer sans frapper chez les gens!

— Je suis venue emprunter ta voiture.

— À six heures du matin?...

— J'étais venue prendre ton char sans te demander la permission. C'est mieux?

— Oui, mais avant, je t'offre un café.

— Non, ça va. Je prendrais un verre de lait, par contre... si tu en as.

Il s'est levé en essayant de faire le moins de bruit possible. Au bout de quelques minutes, il est revenu avec un verre de lait glacé et deux rôties au beurre d'arachides.

— Mange un peu...

— Simon est parti.

— Ah. Ah. Et tu comptais faire quoi avec mon auto?

— Je n'en sais rien. Rouler. Changer d'air.

— Et je parie que t'as pas dormi de la nuit.

— T'es un champion de la déduction, mon Jonas... trop fort! T'es vraiment trop fort.

— Manue, tu ne vas nulle part pour le moment. Je vais prendre une douche, mais toi, tu bouges pas de là… Je te préviens, si t'es plus là quand je ressors, je lance la police à tes trousses.

J'ai baissé la tête comme une enfant que l'on réprimandait.

Quand je me suis réveillée, il faisait sombre dans la pièce. J'ai eu besoin de quelques secondes pour me rappeler où j'étais. Il flottait dans l'appartement l'odeur épicée et rassurante d'un plat qui a mijoté longuement. Jonas était assis sur l'autre fauteuil et me regardait sans un mot.

— Ça va ? m'a-t-il demandé.

Je ne savais pas quoi répondre. La tête me bourdonnait et j'avais des relents de café dans la bouche. J'avais faim. Et je ne me souvenais plus de rien. Jonas avait son air de vouloir me faire la morale et ça m'énervait déjà. Ce qui cuisait dans son four me faisait envie, mais je ne songeais qu'à rentrer chez moi et à me cacher la tête sous un oreiller. J'aurais dû dire non.

Jonas a apporté des olives, du fromage et des noix. Il a versé du vin et il a allumé quelques chandelles. J'étais soulagée de sa présence. Sa prévoyance me faisait comme un baume au cœur. Jonas. J'ai songé que j'aurais dû l'épouser depuis longtemps.

— Manue, faut que je te dise quelque chose.

Non. Tout de suite, j'ai pensé non. Une conversation qui commence de cette manière n'est jamais de bon augure. Je me méfiais. Une panique insoupçonnée montait en moi. J'avais du mal à respirer. NON. Non, aurais-je eu envie de crier. Mais je savais que je décevrais Jonas. Un klaxon s'est fait entendre dans la rue. Ça m'a calmée un peu. Mais non. Je ne pouvais pas. Non.

— C'est une bonne nouvelle, tu sais…

Je n'avais pas la force de lui dire : Non, Jonas. Pas maintenant. Pas ce soir. Non. Non comme dans NON. Il a pris une gorgée de vin, comme pour se donner le courage qui semblait lui faire défaut. Mais qu'avait-il de si important à me dire qui ne pouvait attendre un jour de plus?

— Lennie est enceinte, Manue.

Je l'ai regardé sans un geste. Il rayonnait effrontément. Ça m'a pris quelques minutes avant de réaliser ce qu'il venait de me dire. Je ne comprenais pas. Et ça m'a fait comme la foudre qui fout le feu à la tête d'un arbre. Il me laisse tomber, j'ai pensé. Lui aussi. Et ça m'est tombé sur le cœur comme un piano. Je n'avais rien vu venir. J'ai levé les yeux pour contenir mes larmes, mais ç'a été rapidement au-dessus de mes forces.

— T'as pas le droit.

— Le droit de quoi, Manue?

— T'as pas le droit, c'est tout.

Jonas était surpris comme si je lui avais envoyé une rafale de balles dans le ventre. J'ai essuyé mes larmes avec la manche de mon chandail. Des envies de tout casser me chatouillaient les membres. Alors que j'aurais dû le féliciter, j'étais farouchement jalouse de Jonas. C'est tout ce que mon corps me permettait, en ce jour marqué du sceau d'un autre départ de Simon. J'étais secouée de sanglots. Cent mille pleureuses se sont animées en moi. Je me suis mise à déambuler dans la pièce en me cognant aux meubles. Je cherchais à briser ma peine.

— Je suis fatiguée, Jonas. Je suis fatiguée de vivre dans l'ombre de quelqu'un, de quelque chose. Dans l'attente… Tu sais, j'avais cru que j'avais enfin rencontré l'Amour… tu sais, celui qu'on ne rencontre qu'une fois, celui qui effacerait la peur qu'on a de mourir seul, l'épouvantable crainte d'avoir à refaire les premiers gestes, les premiers pas… Ah oui, bien sûr, Simon va revenir. Mais jusqu'à quand? Et pour combien de temps? Et moi? Qu'est-ce que je deviens, moi, entre-temps? Je suis incapable de peindre. Je suis incapable de vivre s'il ne rôde pas alentour. Tu veux bien me dire ce que ça signifie, toutes ces prisons qu'on construit pour se faire croire au bonheur?

— …

— J'ai peur de mourir, Jonas. Peur de me perdre. J'ai peur de perdre ma flamme. Ma tête. Ma vie, mon âme.

J'avais beau me dire que je réagissais comme une enfant gâtée, je ne pouvais faire autrement. J'avais envie de l'étrangler, Jonas, maintenant avec ses beaux gestes, son sourire béat et son immobilité. Son air parfait. Son bonheur parfait. Ses cheveux parfaits. J'avais envie de crier. J'avais le cœur en pleine dérive. Le corps noyé de larmes. En passant devant la bibliothèque, j'ai pris ce qui me tombait sous la main et je l'ai lancé en direction de Jonas. Une photo encadrée. Un chandelier. Des livres.

— Félicitations, Jonas. C'est ça que tu voulais m'entendre dire? Bravo, bravo, bravo! C'est ça que t'attendais de moi? Mon approbation? Ma bénédiction? Ben, la voilà! Si je comprends bien, il me faudra choisir un autre jour pour pleurer sur ton épaule? Mais qu'est-ce que je vais devenir, moi?…

Je sentais que je m'enfonçais dans d'étranges marécages. Je dépassais les limites du bon sens, je le savais. Mais je sentais que toute ma vie m'échappait avec cette nouvelle. De grands oiseaux noirs battaient de l'aile dans ma poitrine. J'étais vaincue. Simon parti. Jonas qui était heureux sans moi. La tristesse me sciait les jambes. Jonas s'est levé et a tenté de s'approcher de moi. Je lui ai lancé d'autres livres.

— On va parler, Manue. Mais calme-toi. S'il te plaît, calme-toi.

— Mais parler de quoi, Jonas? Parler de quoi? Il n'y a rien à redire et c'est ce qui fait le plus mal. Ton choix est fait. Quand bien même on passerait la nuit à «parler», comme tu dis… quand bien même tu me répéterais que tu m'aimes quand même, que tu seras toujours là, je ne serai pas moins seule. Lennie ne sera pas moins enceinte et Simon ne reviendra pas plus vite.

— Manue, quand tu choisis d'être amoureuse d'un fou comme Simon, ça me tue. Et pourtant, je ne dis rien. Parce que je me dis que c'est ta vie. Que c'est ton choix. Que ma perception des choses n'est qu'extérieure. Et que tu es la personne la mieux placée pour savoir ce qui est bon pour toi. Mais quand tu réagis comme une égoïste à un événement heureux de ma vie, je commence à avoir envie de me mêler de ta vie et de te crier de le crisser en dehors de ta vie, ce gars-là. Mais je sais que tu l'aimes. Alors je continue de me fermer la gueule parce que je sais que tu risques de m'engueuler si je te parle contre lui. Et malgré le fait que tu réagisses comme une hystérique, je t'annonce que je suis heureux pour la première fois depuis très longtemps, Manue. Et je compte en profiter, malgré le fait que tu démolisses tout.

Je ne comprenais plus rien à ma déroute. Je n'ai retenu de la tirade de Jonas que les mots «égoïste», «hystérique» et «démolisses». J'ai dû perdre toute notion de la réalité à ce moment, car j'ai empoigné une chaise que j'ai lancée de toutes mes forces sur un mur. Les livres, les bibelots, les photos, ça allait encore. Mais là, avec la chaise, j'ai bien vu dans le regard de Jonas que j'avais dépassé les bornes. Que non seulement j'avais brisé la chaise, mais aussi quelque chose de pur en lui. D'inconditionnel.

— T'es folle ou quoi? Tu te crois tout permis? Ici, t'es chez moi, je te rappelle. Et maintenant, tu t'en vas. J'en ai assez vu.

— Jonas, je m'excuse… dis-je alors que je retrouvais vaguement mes moyens.

— Je ne veux plus rien entendre. Ça suffit. Tu sors d'ici.

— Jonas, je…

— Non. Tu sors d'ici ou j'appelle la police. Déjà qu'il va falloir que j'explique ton grabuge à Lennie. Tu sors d'ici.

— Jonas, je peux t'aider si tu…

— Dehors!

Être fou à lier, c'est quand on a perdu la corde pour faire tenir ensemble tous les morceaux de soi. C'est là que j'en étais. Il ne servait à rien de m'excuser une autre fois. J'avais tout cassé. Je n'avais jamais vu Jonas ainsi hors de lui. Je sentais que je touchais le fond de l'abysse.

DEUX

Décembre

Je n'ai reçu qu'une carte postale sans date :

J'apprends que tu me manques lorsque j'entends le rire d'un enfant. Lorsque le soleil se lève. Qu'un vent chaud froisse les feuilles des grands arbres. Qu'un feu consume ses dernières braises. J'apprends, à chaque minute qui passe, combien tu me manques.

Je pense à toi, bien sûr.

À très bientôt, j'espère.

S.

Et j'ai pensé mourir. Encore une fois. J'ai glissé la carte postale sous mon oreiller et je me suis promis de changer de vie. C'était devenu insupportable de respirer seulement. J'allais devoir continuer de meubler le silence et l'absence. Encore, comme toujours, reconstituer avec les miettes, ton être entier. Je ne savais plus quoi dire à Jonas. Je ne savais plus quoi me raconter à moi-même. Je sentais la folie gagner mon esprit. Et j'avais envie de sauter en bas du train. De changer d'histoire. De m'enfuir hors d'ici. De disparaître de ma vie minable, surpeuplée d'attentes et de petites fins du monde, cette vie que je m'étais érigée à force d'espérer je ne sais plus quoi. Je ne sais plus qui, au fait.

J'ai déniché une vieille carte du Mexique chez un bouquiniste et l'ai épinglée sur un des murs de l'appartement. Avec ses coudes usés et plusieurs chemins dessinés au crayon de plomb, elle me faisait rêver de voyage. D'un petit homme de sel, perdu au centre du monde. Elle me faisait penser à toi, Amour. À la douceur de tes hanches. À la plante de tes pieds. Aux courbes de ton dos. À l'épaisseur de tes silences. J'ai acheté des fléchettes, aussi, et j'ai désespérément visé le sud du pays, consumé par la sécheresse. Mais j'ai troué le mur tout autour sans pouvoir apaiser ma colère contre le monde entier.

Je n'existe plus. Je ne suis plus que ce lâche et bête attachement pour ton être absent la plupart du temps. Je ne suis plus seulement amoureuse, je suis prisonnière de cet amour. Car je suis devenue moi-même cette prison, cet amour, cette démence. Et pour sauver ma peau, il faudrait que je m'enfuie de moi. Mais je commence à croire à mon anéantissement. À mon oubli total. À ma soumission, à ma perte, à ma dissolution. Puisque je m'adonne à toi en pure perte.

Je voudrais m'assurer que tu existes vraiment, que tu existes toujours. Je voudrais croire que tu n'es pas seulement cette chemise, ce recueil de poèmes, ces mégots dans les cendriers, ces morsures sur mon corps ; oubliés lors de ton dernier passage sur terre. Mais je ne sais rien faire. Sinon recréer des morceaux de ta voix ou de ton rire dans un recoin sombre de ma mémoire, compter les jours sur le calendrier en priant saint Antoine de Padoue ou dessiner ton visage du bout des doigts sur la toile. Car tu me manques, Amour. Tu me manques. Et à chaque pas, c'est plus terrible encore.

Je t'aime, oui. Mais je t'aime parce que je ne sais plus comment ne pas le faire.

Un jour, je me le promets, je partirai d'ici pour longtemps. Je te suivrai jusqu'au sommet de l'Atlas. C'est une promesse que je fais au ciel. J'ai trop soif de diversité, de couleurs, d'espace pour accepter de me confiner dans ce lieu sans horizon. Oui, un jour je partirai. Avec mes ailes de dragon et mes rêves d'enfant fou. Je m'envolerai loin d'ici, te retrouver dans le gouffre du monde. Avaler la mer et les poissons. Me retrouver. Mais ma détresse est illusoire. Comme ma peur. Comme ma liberté est illusoire. Puisque tu existes si peu. Je sors marcher dans le soir glacé. Noël se reflète dans les parcelles grises de la ville. Il n'a pas encore neigé cette année. Je cherche Simon au détour des rues, dans la lumière dorée du magasin de poupées. Sur les pavés qui me l'avaient donné. Je le cherche dans l'ombre des érables et des tilleuls nus, dans les poubelles. Je l'espère dans la silhouette d'un promeneur qui se dessine au loin. Je le veux. Accidentel comme la première fois. Je le veux fortuit, inespéré. Je le veux imprévu. Improbable. Je passe à plusieurs reprises devant la vitrine colorée où je l'avais trouvé. Pourtant, les lieux restent vacants. Si incontestablement désertés de lui. Ils me disent que ces souvenirs qui me hantent ne sont en fait que des illusions. Des mirages. En passant par ici, je me dis que je reprends en quelque sorte ma vie où je l'ai laissée avant que ne débute cette histoire. Je me retrouve telle que j'étais : au ras des pâquerettes, aussi terne, aussi triste, aussi seule. Défaite comme une fleur de pavot par l'ondée. Mais une phrase me revient en tête. Une phrase que je m'étais formulée par un matin embrasé par une lumière blanche. Simon devait être débarqué la veille. J'avais les yeux posés sur son corps endormi, le cœur sur le point de fendre : *Je porte en moi ton image comme ma seule chance de survie.*

Et voilà.

Sur le chemin du retour, je me suis arrêtée acheter des bonbons à l'anis, des timbres et des crayons de couleur. Rendue chez moi, sans prendre le temps d'enlever mes bottes, je suis allée fouiller dans mes livres pour trouver l'idéogramme chinois qui représente l'amour. J'avais envie de partager avec Simon le seul mot que j'avais en tête et qui ne ruinerait pas sa précieuse liberté. Je suis allée dans l'atelier pour tracer en rouge, au dos d'une carte postale, le signe en question. J'ai noté l'adresse de la *cooperativa* et suis ressortie pour mettre la carte à la poste. En revenant, je me suis sentie un peu triste, mais étrangement libre. Libérée, en tout cas. Je me suis préparé un chocolat chaud, j'ai écouté un vieux film de pirates à la télé et me suis couchée tôt. Le lendemain, j'ai peint toute la journée. Et j'ai vidé le tube de rouge.

* * *

Au village, les enfants n'en finissaient plus de pleurer depuis des jours. L'air était intensément sec, la chaleur suffocante. Ce qui restait d'humidité dans le sol s'évaporait en un aveuglant brouillard doré. Deux chèvres étaient mortes. La récolte de café, principale source de revenus de la *cooperativa*, était menacée. On lisait une immense fatigue sur les visages des Indiens. Et moi, plus que jamais, je me sentais impuissant. Vaincu. Tellement inutile.

Vilma ne souriait plus depuis qu'on l'avait mariée à Javier, originaire du village voisin. Elle était enceinte. Je soupçonnais que l'enfant n'était pas de lui. Je savais que je ne pourrais pas voir Manue avant un long moment. Les prévisions météorologiques ne laissaient présager rien de bon. Et lorsqu'il se mettrait enfin à pleuvoir, il n'y aurait pas trop de bras pour effectuer tout le travail.

Les vieux s'enfermaient toute la journée dans leur cabane. Les enfants ne jouaient plus. Les Indiens sommeillaient de longues heures dans ce qu'il y avait d'ombre. Seul Fernando trouvait encore le courage d'aller marcher entre les rangs de *cafetos*. Non, je ne pourrais pas rentrer avant longtemps. Et ça me laissait maussade. Préoccupé.

Il ne me restait plus que l'instinct de survie pour me garder debout. Et à peine. J'avais cessé de lire et d'écrire depuis une dizaine de jours. Je me sentais vidé de toute substance. Les mots me manquaient. Il me fallait, avant toute chose, sauver la récolte, assurer la survivance – la foutue rentabilité – de la coopérative. Je devais constamment rejeter, du revers de la main, l'image de Manue le sourire de Manue les seins les cheveux les yeux de Manue qui me hantaient.

Je me sentais sur le point de flancher, de lâcher prise, de tomber à genoux. Je ne me rappelais plus la dernière fois où j'avais changé de vêtements. Ceux que je portais me collaient littéralement à la peau. Pour tout dire, j'étais fatigué de porter à bout de bras le poids de la vie d'une communauté entière. Si demain tout flambait, je pourrais toujours rentrer quelque part. Ailleurs. Avec dépit, certes. Mais j'avais un million de solutions de rechange. Si on a les moyens de refuser le toit qui nous est offert, c'est qu'on est plus riche que l'on pense. Mais eux, ces camarades, ces frères presque, avaient, pour leur part, les pieds pris dans la boue de leur terre natale. Ils étaient cloués ici jusqu'au jour pas trop tendre de leur mort. Ils enviaient mes ailes. J'enviais leur courage, leur persévérance et leur inébranlable espérance. Et je me sentais coupable de cette prospérité à laquelle je ne devais rien.

J'avais envie d'un grand verre d'eau glacée et d'une pinte de bière blonde. Et surtout – surtout – de trois jours de sommeil collé à elle. Bercé par sa respiration et ses mots ronds. Ses mots si doux dans le désert du monde.

Allongé dans mon hamac à l'heure de la sieste, je me suis laissé broyer par le poing noir de Morphée.

Un vieux *Routard* sur l'Islande ouvert sur ma poitrine, j'ai rêvé. Dans mon rêve, Manue souriait. Vaguement. Tout se passait en silence. Elle volait dans les airs, entre les ramures des grands arbres, fondant peu à peu sur moi. Je ne voyais pas ses lèvres remuer, mais j'entendais sa voix me souffler tel l'alizé : «Ils ont besoin de toi, je sais, ils ont besoin de toi...» Je me suis senti soulagé et j'ai fermé les yeux en pensant qu'elle descendrait m'embrasser. J'ai à nouveau entendu sa voix : «Mais tu m'as oubliée. Tu m'oublies... Tu m'as oubliée.» Lorsque dans mon rêve j'ai ouvert les yeux, Manue avait disparu. C'était Vilma qui l'avait remplacée. Elle tenait son ventre à deux mains, le visage tordu par la douleur. Puis Manue m'est réapparue et s'est mise à bourdonner comme une abeille tueuse au-dessus de Vilma. Elle s'est mise à la rouer de coups en hurlant. J'étais convaincu qu'elle allait la tuer. J'étais immobilisé par la stupeur. Et quand j'ai ressenti l'once de courage qui m'aurait permis de bouger, j'ai senti les liens qui retenaient mes poignets et mes chevilles.

Je me suis réveillé en sueur. Le *Routard* était tombé sur le sol. Le hamac se balançait à cause de mon agitation. Vilma se trouvait à mes côtés et semblait inquiète. Je me suis redressé, cœur battant, en lui demandant ce qu'elle voulait. Elle a posé les mains sur son ventre et m'a dit : «Emmène-moi avec toi. *Te quiero.*»

Mai

J'ai oublié de compter les jours depuis la dernière fois.
J'ai parlé à trois reprises avec Manue au téléphone. Une
fois, elle a pleuré tout le long. Quand j'ai raccroché,
j'ai cru devenir carrément fou. Et j'ai compris que je
l'étais. Alors, je suis rentré.
J'ai retrouvé la Grande Ourse dans le ciel glacé.
Cette vieille connaissance qui penche vers vous son
visage rassurant. Et, plus loin, la lune, dans son costume
de jour tiède du printemps – tout plissé d'or et de
safran. Compagnes de longue date, amantes anciennes,
je vous salue... l'une guettant, l'œil ouvert, le retour de
l'amant transitoire. L'autre, stoïque, immuable comme
la pierre. L'air blessé. Et Manue, ma barbouilleuse
d'années-lumière, mon inénarrable chute. Mon âme
tressée de rires et de colères. Manue à la fenêtre de
son appartement, ce lieu incongru, sans formes que j'ai
appris à coloniser avec mon barda. Manue à demi nue
devant son chevalet, son corps tavelé de vert pomme ou
d'indigo. Le marron de ses mamelons s'assombrissant
au contact de mes doigts.
   Je tends le pouce dans l'espoir qu'un honnête
banlieusard me fasse l'honneur du siège côté passager
– ou de la banquette arrière – de la mini-fourgonnette
ou du VUS nickelé dans lequel il circule, seul, évidem-
ment. La route est longée de jeunes bouleaux rabougris
encore nus et de conifères noircis par la nuit. L'air

empeste l'essence et le caoutchouc chauffé. Je me demande combien de temps je devrai tenir ainsi. Mes vêtements mouillés de sueur me collent au corps et me donnent froid, les bretelles de mon sac me brisent les épaules et la hâte de me retrouver dans le halo de Manue me donne envie de courir jusqu'à ses pieds. J'ai envie d'un grand café. Et, plus encore, envie de frotter mon âme errante, migratoire, contre la sienne – ancrée, sédentaire.

Après de longues minutes, une fourgonnette grise se range sur le bord de la route devant moi. J'y cours dans le claquement de mes bottes sur l'asphalte. J'ouvre la portière du côté du passager et tombe face à face avec un grand gaillard aux cheveux noirs hérissés. Il semble très fatigué, mais sourit.

— Moi, c'est Liam, salut. Monte, mais fais pas trop de bruit, Madeline dort derrière.

— Salut. Moi, c'est Simon, lui dis-je en lui tendant la main.

J'ouvre la portière coulissante et pose mon sac juste à côté de Madeline qui dort effectivement dans ce qui ressemble à une petite chambre aménagée exprès pour elle. Un matelas posé sur une plate-forme de bois, sous laquelle il devient possible de glisser une bonne partie du matériel de camping. Le reste trônant dans le vide inoccupé autour d'elle. Des bouquets de fleurs sauvages, fixés au plafond, mis à sécher la tête en bas. Des oreillers, des vêtements, au moins cinq appareils photo… Madeline, un nom joyeux comme une ronde. Dans Madeline, moi, j'entends les notes chantantes d'une mandoline. Madeline, comme la chaleur du Gulf Stream. Madeline, comme une île – verte, luxuriante – assoupie dans les bras du golfe de Liam.

Je grimpe devant avec, je l'espère, le plus de discrétion possible.

— Vous allez où ? demandé-je au conducteur qui a déjà mis son clignotant pour s'engager dans la voie.

— On arrive d'Abitibi, répond-il en gardant les yeux sur la route, et on roule vers la Côte-Nord. Madeline voudrait bien qu'on dorme à Tadoussac cette nuit. Elle adore voir le lever de soleil sur les dunes. Le fleuve est juste en bas. On l'entend, on le sent qui lèche la batture... C'est un endroit paisible, presque à la hauteur des oiseaux. Et puis, c'est toujours une belle leçon d'humilité pour nous, petits humains, de nous mesurer à l'étendue du paysage. D'apercevoir, au large, le phare de Tadoussac, les bateaux de marchandises et les zodiacs à touristes partis à la chasse à la baleine... Et puis, il faut en profiter. Puisque bientôt, il faudra payer pour simplement garer sa voiture face au fleuve.

Il a continué de dérouler sans fin sa galerie d'images, sans que je puisse y insérer le moindre mot. L'Écosse, la Colombie-Britannique, l'Alaska, le Pays basque, l'Irlande, le Portugal, le Pérou, le Chiapas, le Brésil... Palenque, Barcelone, Le Caire, Valparaiso, Istanbul, Marrakech, Moscou, Bombay, Nagasaki... un chapelet de villes, d'histoires colorées, de paysages choisis au gré des émotions de Madeline. Toujours. Et presque toujours vus, racontés par et à travers les yeux de Madeline qui, je l'ai appris finalement, était photographe. Je le sentais, malgré son air hirsute et grave, amoureux fou et prêt à tout, pour la fille-fleur qui le trimballait dans ses bagages. Il était le suivant, elle était sa reine.

Quand il s'est rangé à nouveau sur l'accotement, je lui ai serré la main et l'ai remercié pour sa collection de cartes postales. Il a dit qu'il n'avait jamais tant parlé de lui. Je l'ai salué, et il s'est enterré dans la nuit dans l'éclat des feux rouges. Comme s'il n'avait jamais existé. Je lui ai souhaité très fort de se rendre à Tadoussac cette nuit-là. En fait, partout où ils voudraient. En marchant, j'ai désiré un instant une fourgonnette semblable, Manue dormant derrière dans l'odeur de peinture à l'huile. Et des histoires semblables à celles de Liam racontées à des inconnus cueillis au fil de la route. Des kilomètres avalés, accumulés, partagés. J'ai chassé cette image de mon esprit, avec une pointe de ressentiment – de rancune, presque – envers Manue et ses racines. Mais aussi envers moi-même, si peu apte aux serments et à quoi que ce soit de durable. Je me suis concentré sur le froissement de mes pas dans le gravier. Et dans un frisson, j'ai lancé mes yeux au ciel.

Le bonheur est un bien grand mot. Mais il brillait en moi comme le souvenir de foudre dorée de son rire à elle.

* * *

Je ne peux pas.

Il a posé ses lèvres sur mes paupières et est sorti s'aérer l'esprit. Je savais qu'il était fâché. Non, pas fâché, déçu. Et puis, non, pas déçu, ça implique des attentes qu'il n'a pas. Plutôt désolé. Il était désolé de mes circonstances atténuantes. De mon manque de courage. De mon peu d'envergure. De cette bohème avec laquelle je tapissais tous mes discours et que je vivais si mal. Si rangée.

Il reviendrait plus tard, l'air sombre. Il préparerait du café, s'installerait avec un livre et s'engrangerait dans son mutisme jusqu'à ce que le soleil se couche. Puis, il se relèverait, prendrait une bière dans le frigo, couperait les légumes et ferait cuire les pâtes. Lorsque tout serait prêt, il viendrait coller ses lèvres dans mon cou, effleurerait mes seins au vol et m'inviterait à manger avec lui.

— Suis-moi, avait-il dit.

— Je peux pas.

Et il avait baissé les yeux.

— S'il te plaît, avait-il tenté.

— Je peux pas.

J'aurais préféré qu'il insiste davantage. Qu'il se mette en colère contre moi. Qu'il perde tous ses moyens et me prie de le suivre. J'aurais voulu ne pas avoir tant envie de partir avec lui. Mais il a préféré se taire. Il est sorti pousser des cailloux du bout des pieds. Il est parti déraciner trois ou quatre peupliers à grandes dents. Il est allé se noyer dans la mer. Il est sorti accrocher sa colère aux branches des chênes pour me ramener son sourire, parfait. Il s'est enfui aux confins de sa solitude pour trouver la force de m'aimer malgré tout.

Je le devine qui marche, les mains dans les poches, le cœur réduit en poussière. Je le sais qui se mord les joues, les lèvres, les dents même, pour ne pas hurler. Je sais que partir avec lui est tout ce que j'espère. Ce que je souhaite. Ce que mon corps me somme de faire. Mais j'en suis incapable. Je ne sais pas me déloger des quatre murs de mon existence. Pas encore, du moins. Je ne suis pas prête à me séparer de mes livres. De tel pinceau dans tel pot. De telle lumière qui pénètre par la fenêtre. Du bruissement du tilleul dans la fin du jour. De la petite routine qui m'use mais me rassure. De mon spleen lié au temps qui se retire à mesure que s'amplifie mon enlisement. Je ne sais pas me sortir du connu. Et c'est cela que Simon me reproche. Moi, je m'en veux d'être aussi lâche. Mais c'est ça la lâcheté : savoir ce qui est bon pour nous et se savoir incapable de l'assumer jusqu'au bout.

Je l'entends qui grimpe l'escalier. Il ouvre la porte. Il semble serein. Plutôt calme. Mais son regard couve un feu inconnu qui s'apparente à de la colère mêlée de déception. Il tient un bouquet de fleurs volées dans un jardin.

91

— Je suis désolé. J'ai cru que c'était ce que tu souhaitais. Je n'aurais pas dû insister. Mais bien sûr qu'il aurait fallu que tu insistes. Puisque c'est tout ce que je demande : être avec toi. Partir avec toi. Il a plutôt fermé les yeux en signe de démission. Il s'est avancé vers moi. M'a serrée contre lui. J'ai vu qu'il était atterré. De toute évidence, il ne comprenait pas. Il m'a embrassée. Ses lèvres goûtaient la terre. Sa langue, le sel. De ses gestes incomparablement tendres, il est remonté jusqu'à moi. Il a touché mon cœur et est tombé à genoux. À un moment donné, je l'ai entendu dire : J'aurais tellement voulu. Il a continué de m'embrasser. Les mains. Le ventre. Les cheveux. Le front. Les yeux.

J'aurais voulu anéantir le superbe détachement par lequel il acceptait ma démission. Je lui enviais son esprit libre. Son silence. À sa place, j'aurais sûrement hurlé. J'aurais brisé de la vaisselle. Mais dans deux jours il repartirait. Seul. Et moi, je ne pourrais que constater de nouveau mon plus bel échec en le regardant quitter, sans moi, le lieu du désastre. Je l'ai repoussé, presque écœurée. Je ne voulais surtout pas le brusquer, mais il était hors de question de nous perdre dans l'enchevêtrement des corps. C'était inutile. Il a posé sa tête sur mon ventre. A fumé une cigarette en fixant le plafond.

— Je t'aime, Simon.

— …

— Je suis désolée.

— Hum hum… n'en parlons plus, d'accord ?

— C'est d'accord. N'en parlons plus.

Il s'est endormi à la fin de sa cigarette. Je lui caressais les cheveux en l'écoutant respirer. J'avais le cœur en miettes. J'aurais voulu qu'il m'enlève le poids de son corps, que je puisse me lever et préparer d'improbables bagages. Jeter de vieux papiers. Passer un coup de fil à Jonas malgré l'heure. Ne pas dormir pour les deux prochains jours à cause de l'excitation. Mais non. Je pouvais rester sous lui à regarder le temps s'écouler à perdre haleine. J'ai veillé sur son sommeil. Et je suis sortie marcher dans la nuit. J'ai profité de la tiédeur de l'air pour enlever mes chaussures et sentir le béton des trottoirs sous mes pieds comme une assise inaltérable. Il ne me restait plus qu'à me perdre. À emprunter des sentiers inconnus. À marcher, marcher. Marcher. Mais ce que j'espérais perdre, je le portais au fond de moi. La peur. Les pierres dans mon ventre qui m'empêchaient de m'arracher du sol. La permanence du doute. Le contact de la nuit me grisait. Je me suis arrêtée dans un boui-boui sordide et enfumé le long de la grand'route pour prendre un café et un sandwich au fromage. Et je suis retournée me serrer contre Simon tandis que l'horizon pâlissait à l'est. Il ne s'était pas rendu compte de mon absence.

Il est resté trois jours de plus que prévu. À tourner en rond. Je voulais croire que c'était une sorte de sortilège silencieux pour me prier de ne pas le laisser partir seul. Mais il n'en a pas reparlé. Nous avons marché des heures durant. Il m'a appris à nommer le chant des oiseaux ou les espèces d'arbres. Moi qui ne connaissais que les chênes et les érables, j'étais presque devenue une experte en la matière. Il disait aimer tout particulièrement les caryers et les pommiers. Le son de sa voix me laissait comme du sable dans la gorge. Me laissait le cœur sur la banquise. Il a jeté des cailloux dans la rivière pour couvrir le silence. En marchant sous la pluie, il a évoqué son père qui l'avait chassé le jour où il lui avait annoncé qu'il voulait devenir explorateur. Sa mère et sa sœur étaient parvenues, malgré les années, à conserver intact le lien entre eux et attendaient chacun de ses coups de téléphone ou de ses cartes postales comme une bénédiction. La preuve qu'il était toujours vivant. Il a préparé des sushis et a insisté pour semer des tournesols dans des pots sur le balcon. Nous n'avons pas dormi. Nous n'avons pas fait l'amour. Nous avons tout mis dans nos gestes, dans nos silences désespérés. Dans ces histoires grotesques qui ont meublé nos existences jusqu'à cet instant précis de ma tête sur ses genoux et de sa main sur mon ventre. Nous n'avons pas parlé d'avenir. La dernière nuit, nous avons bu du vin et mangé du fromage sur du pain aux noix. Nous sommes allés marcher dans la nuit, puis nous nous sommes endormis après trois heures du matin.

Lorsque je me suis réveillée, il était parti. J'ai cru sérieusement que c'était pour toujours. J'ai donné de grands coups dans mes oreillers et je me suis rendormie pour ne pas pleurer.

Plus tard, j'ai trouvé ses mots sur la table de la cuisine :

Manue,
Faut-il vraiment que je songe à vivre sans toi ?

S. x

Juillet

Jour de feu. Pas un oiseau pour enchanter le ciel. Pas un souffle pour agiter les ramures du tilleul. L'horloge marquait huit heures dix-sept quand je suis sortie de chez moi. Déjà, une chaleur de four crématoire remplissait l'appartement.

Huit heures vingt-trois. Je m'installe sur un banc de parc. Je pose par terre mon bagage : trois bouteilles d'eau glacée citronnée, une couverture mexicaine, de la crème solaire, un polar, un recueil de poèmes, une méthode pour apprendre l'espagnol et un carnet à dessins. Et puis, non, je préfère me coucher sur l'herbe, sentir le sol sous mon corps, mon dos endolori soutenu par cet inépuisable appui. Et j'étends ma couverture par terre, place mon sac en guise d'appuie-tête. Je serre un coin de l'étoffe rude contre mon nez en espérant trouver là une bribe d'odeur connue. Mais en vain. La couverture sent la teinture et la terre.

Aucune trace de mouvement dans l'une des quatre rues qui encerclent le parc. C'est un autre de ces jours où l'ombre ne suffit pas à apaiser les ardeurs du soleil. Après trois jours de pareille chaleur, on parle de canicule. Ça fait maintenant six jours. Je me fais croire que je suis perdue au Mexique. Que ces arbres sont des manguiers et ceux-ci des citronniers plutôt que des frênes et des érables argentés. Je me dis que ces oiseaux appartenaient sans doute à des familles inadaptées à mes latitudes nordiques. C'est un tityra au lieu d'un quiscale qui voltige au-dessus des maisons. C'est le chant d'un toucanet émeraude plutôt que celui d'un merle qui monte dans l'air. Je me dis : C'est un caracara. C'est un toui à menton d'or. Et, les paupières closes, j'en oublie presque la réalité.

La fatigue a lentement alourdi mon corps. Rien que de penser à m'étirer le bras pour prendre un livre dans mon sac et de commencer à lire, je sentais la sueur couler contre mes tempes. En fait, pas le moindre millimètre carré de mon corps qui ne fût moite. La journée serait longue, épuisante, terrible, je le sentais.

C'est le bruit des balles de tennis que l'on frappait qui m'a tirée de ma rêverie. Mais qui est assez fou pour bouger par un temps pareil ? Je n'avais aucune idée de l'heure. Juste la sensation qu'il ne devait pas s'être passé beaucoup de temps. Le soleil qui n'avait pas encore atteint son zénith était nimbé d'une espèce de voile gris qui le rendait aveuglant. J'ai refermé les yeux. Et j'ai senti presque aussitôt une présence s'immiscer dans mon espace vital. Quelqu'un m'observait. Une voix d'homme me l'a confirmé :

— Mademoiselle, de vous voir ainsi étendue inspire quelques pensées lubriques au quidam que je suis… me donne des envies de fête grivoise et d'histoires à dormir debout… Je me présente : saltimbanque à mes heures, je suis aussi flibustier ou chasseur d'éléphants. Mais je suis un voyou, mademoiselle, et permettez-moi, je vous en conjure, d'être des vôtres et de m'abreuver à votre langueur…

Pas besoin d'ouvrir les yeux. C'était Paulo. J'ai tout de suite reconnu la façon toute particulière qu'il avait de chanter en parlant. Avec sa folie en filigrane et son esprit détraqué. Sa voix. Ses gestes ampoulés. La poussière soufrée qu'il soulevait sur son passage et qui voletait autour de ma tête. Je ne savais pas trop si je devais sauter de joie ou continuer de faire semblant de dormir. Ça faisait une éternité. Paulo, une ancienne galère d'avant que le ciel ne me tombe sur la tête. Il m'avait appris à boire beaucoup d'alcools forts. Il m'avait présentée à un de ses amis qui m'avait enseigné les rudiments de l'utilisation de la spatule et des textures en peinture. Par ses récits bigarrés, il m'avait fait voir les routes de la Côte-Nord, de l'ouest américain et de la Colombie-Britannique sans que j'aie à quitter mon antre. Il devait bien avoir vingt ans de plus que moi. Et à chaque fois que l'on se rencontrait, il trouvait le moyen de me raconter l'histoire qui allait me faire flancher et rouler à ses pieds. J'étais une sorte de pays d'accueil. Non, j'étais une parmi tant d'autres. Comme une fille dans un port. Parfois, il me manquait. Souvent, je pouvais passer des mois sans penser à lui. Mais là, avec Simon qui avait tout fait exploser, j'étais loin d'avoir envie de retomber entre les pattes de Paulo. Il était photographe, communiste, flûtiste, botaniste, ethnologue... voleur à ses heures, coupeur de canne à sucre, mécanicien de trains, apôtre servile de Freud, et j'en oubliais. Il savait remonter une moto et cultiver les orchidées. Mais je ne me sentais certainement pas la force de lui servir de passe-temps durant son séjour. J'avais le cœur en pleine dérape. Et je ne souhaitais pas me retrouver en face de mon propre néant suite à trois ou quatre jours de baise inutile.

Néanmoins, j'avais besoin de me sentir désirable. Belle et enivrante. Besoin de sentir mon âme se raffermir au contact d'un désir attisé par mes gestes. Besoin de me sentir intensément – ardemment, profondément – vivante. Et Paulo était ma chance, peut-être la seule personne qui pouvait m'aider à retrouver la femme en moi sans pour autant que je laisse des morceaux de mon cœur accrochés aux ronces. Pas de questionnement ni de grand doute. Il tournicotait autour de moi dans un faux mystère à attendre que je lui ouvre mes cuisses avec ou sans tendresse. Ce n'était pas vraiment moi qu'il cherchait. C'était quelqu'un contre qui frotter ses hanches. Quelqu'un en qui laisser aller son sexe et épancher son trop-plein de solitude. Pour aujourd'hui, ça me convenait.

C'était depuis longtemps une sorte de pacte entre nous. Cette disponibilité quasi permanente. On ne se cherchait jamais. Mais on en venait toujours à se retrouver au carrefour lorsqu'il nous fallait racler cette crasse invisible que laisse sur la peau la solitude. J'avais beau me dire NON NON NON. J'avais tout de même envie de rouvrir les yeux en prenant un air faussement surpris. De lui raconter n'importe quelle histoire. De le dessiner. De le laisser monter jusqu'à chez moi. De le laisser toucher ma peau et ne pas sentir une bombe exploser dans ma poitrine lorsqu'il refermerait la porte derrière lui. J'avais envie de retrouver des pans de ma vie d'avant Simon. Du temps où j'étais libre, au fond. Amère, misérablement seule, oui, mais libre. Sans autres murailles que celle que j'élevais dans mon imaginaire. Retrouver l'absence de tendresse dans les gestes. Aller à l'essentiel. Rien que le corps qui parle haut et fort. Rien que le corps qui exulte. Qui crie sa puissance vitale par-delà le chaos ambiant.

Ça s'est passé très vite. Paulo s'est étendu de tout son long contre moi. Je n'ai pu faire autrement que de constater qu'il avait pris un sérieux coup de vieux. L'âge s'était inscrit dans le coin de ses yeux et sur ses mains. Je l'ai laissé me dessiner des trucs sur les jambes avec un stylo noir. Il riait. Pas moi. Il a fouillé un peu sous ma jupe et je me suis sentie délinquante. Mais vide. Le ciel continuait de brûler la terre. Paulo a raconté des morceaux de la France et du Portugal qu'il avait découverts. De toute mon âme, j'ai évité de parler de Simon. J'avais besoin qu'il me croie sans entraves. Aussi libre et vaste qu'avant. Nous sommes montés chez moi. Il m'a demandé à qui appartenait telle chemise, telle chaussette, telle photographie sans que je réponde. Il a posé ses lèvres sur mon visage, sur mes lèvres, puis partout sur mon corps. Mais il a joué tout seul. Moi, j'étais ailleurs. Je m'endormais dans la forêt lancadone, entre les bras d'un *campesino* zapatiste. Ou encore, je marchais dans le sable sur les battures du golfe du Mexique. Brisée. Consumée par la honte, je constatais que je descendais bien bas. Il n'y avait de place en moi que pour Simon. Et j'ai vite compris que ça ne servait à rien de le chercher dans d'autres bras.

À deux heures du matin, j'ai tiré sur les couvertures et j'ai crié : « Dehors ! » J'ai su que c'était la dernière fois que je le voyais. Paulo. On fait ce qu'on veut de lui, mais on ne le tire pas du sommeil en pleine nuit. Il a seulement dit :

— Tu dois être bien triste, Manue.

Et il est parti. Je n'ai pas dormi de la nuit. Et le lendemain, j'ai recommencé à attendre.

Septembre

Pour la première fois, à mon retour, j'ai trouvé le chagrin d'une femme. Le chagrin, c'est quand l'attente ne sait plus que faire et qu'elle met des larmes dans les yeux des filles. Le désespoir. La solitude. Le chagrin transperce le corps d'une douleur si grave qu'on se mord les poings à longueur de journée et qu'on a envie de s'enfuir de soi-même. Pour la première fois, j'ai senti le poids de mon absence en Manue. Ce vide immense. Ce manque incessant. Et j'ai eu peur. Je me suis alors cloîtré dans un silence qui faisait figure d'abandon. Ce séjour ici qui promettait d'être le plus long depuis des éternités, j'ai eu envie de l'écourter. Je n'avais pas envie de lire la détresse dans ses yeux. Je ne pouvais pas supporter de la voir si triste, si abattue. À ce point privée de lumière.

Et elle a raconté l'histoire avec Paulo.

J'ai reçu la nouvelle comme un jet de pierres dans la figure. J'aurais pu – j'aurais dû – dire : moi aussi. Mais je ne me sentais pas cette force. Cette honnêteté absolue. J'ai pensé à Vilma qui s'était enfuie du village. Que j'ai revue. J'ai pensé à Vilma et à son fils. À cette enfant de la terre de ses ancêtres, égarée dans San Cristóbal avec pour seul moyen de survie son mince courage et l'amour qui brûlait en elle comme une flamme. Manue attendait que je dise quelque chose. Que je l'exorcise ? Moi, je lui en voulais de me laisser avoir tant d'emprise sur elle.

— Tu es un être libre, Manue. *Live your own life...*
Et j'ai dormi sur le balcon. J'ai eu envie de lever
le cap en plein cœur d'une nuit blanche. Mais je savais
alors que c'était seulement moi que je tenterais de fuir.
Manue me tiendrait encore lieu de gouvernail. Car elle
avait touché le feu de mon âme.

À l'aube, je suis allé me blottir dans ses bras. Elle
s'est mise à pleurer en m'embrassant. Elle croyait que
j'étais parti. Que je lui en voulais. Que je ne lui par-
donnerais jamais. Elle m'a serré contre elle. Et j'ai
senti l'abîme s'ouvrir sous – en – moi, puis mon corps
frapper le fond. J'ai pensé : Si tu savais.

— Tu as voulu sauver ta peau, lui dis-je avec ma
main dans son cou.

Et je me suis endormi.

J'avais oublié ce qu'était la tristesse. Cette brûlure
qu'elle laisse au ventre. Cette cassure qui s'opère au
niveau de l'esprit. Une déchirure semblable au fracas
que fait un arbre en s'effondrant dans le silence de la
forêt amazonienne. Et le cœur en plein débordement
de déroute. En revanche, j'avais gardé, dans quelque
recoin empoussiéré de ma mémoire, la sensation
que diffuse à travers tout le corps un sentiment
d'impuissance. À mon réveil, Manue semblait s'être
apaisée. Son regard pétillait un peu. Mais la culpabilité
rongeait chacun de ses silences, de ses mouvements,
de ses esquives. Elle avait préparé du café et était allée
chercher des croissants. Elle avait lavé la vaisselle, rangé
dans la bibliothèque les livres que j'avais toujours vus
éparpillés à travers l'appartement, enlevé un peu de
poussière sur les meubles. Elle me souriait. Pourtant,
il manquait à chacun de ses mouvements cette fougue
qui lui allait à ravir les jours de fête. Aujourd'hui, nous
n'avions rien à célébrer. C'était un jour semblable
aux autres. Au cours duquel nous apprenions à vivre
ensemble.

Il planait trop de silences entre Manue et moi. Je me cognais constamment les orteils contre les obstacles invisibles qui s'étaient érigés à chaque fois que je voulais l'approcher, jeter un pont entre nous.

— Je sens que je meurs, Simon. Je sens que je m'abolis, a-t-elle dit.

— ...

— Je ne sais plus quoi faire de ma peau.

— ...

— Tu crois que tu vas continuer encore longtemps à mener ta vie comme ça, sans moi? ajouta-t-elle avec des larmes aux yeux.

— ...

— Il serait temps que tu le dises si tu ne m'aimes pas. Parce que moi, j'en peux plus.

J'étais perplexe. Je ne trouvais rien à répondre face à tant de sincérité. L'histoire était trop longue à raconter. J'ai senti comme un nœud remonter dans ma gorge. Car OUI, je t'aime, Manue. Et OUI, je t'ai aussi aimée ailleurs. C'est bien cela : je ne t'ai pas trompée, je t'ai aimée ailleurs. Et je sais que tu ne supporterais pas de l'entendre. J'ai continué de penser toujours à toi dans les bras d'une autre. Eh oui, c'est fou, mais c'est ma vérité. La simple idée de te retrouver attise mon instinct de survie. Et je suis un meilleur homme, un meilleur *campesino* depuis que je te connais. Je t'aime. OUI. OUI. OUI. Avec mes doigts, avec mes lèvres, avec mes papilles gustatives avec mon sexe mes pieds mes cheveux. OUI. Je t'aime. Tu me tiens debout. Et j'ai le cœur à la mer dès que je referme la porte derrière moi. Dès que je ferme les yeux. Comment peux-tu croire une seconde que je ne t'aime pas? Puisque tu es celle qui me donne envie de fouler jour après jour les pavés de cette ville médiocre? Je sens que chaque pas que je pose hors de ta maison me ramène à toi. NON, je ne sais pas après quoi je cours. NON, je ne sais pas te dire à quel point je t'aime. Et NON NON NON, je ne sais pas comment faire pareil aux autres et te bâtir une belle petite vie encastrée avec une tribu d'enfants, une petite maison de briques rouges, des rosiers sauvages et une haie de cèdres. Mais est-ce vraiment ce que tu désires, Manue? Car je ne suis pas les autres. Et que c'est précisément pourquoi tu m'aimes.

Manue m'avait pris de court. Et j'étais empêtré dans mes pensées, muet. Il aurait fallu que je la rassure, que je lui dise qu'elle était tout pour moi – ce qui était le cas, en effet –, mais je n'avais pas été préparé à cet assaut. J'aurais dû dire que je l'aimais. J'aurais dû lui faire l'amour. Mais j'ai plutôt fermé les yeux, en souhaitant que lorsque je les ouvrirais, tout irait mieux. Je ne ressentais aucune colère. Juste une tristesse vaste comme le ciel qui a coulé de l'intérieur comme des larmes de plomb. Une tristesse sans bornes face à son désarroi devant mon peu de mots pour formuler cet indicible cri qui me brûlait le corps.

Manue a posé ses lèvres sur mon front et je l'ai serrée trop fort dans mes bras. J'ai su alors que je recommençais un très long voyage. *Je ne pourrai pas toujours. L'air que je respire est trop rare sans toi, un jour je ne pourrai plus,* ai-je pensé.

* * *

Cette fois, c'était pour toujours. Sans colère ni crise de larmes. Rien que mon désespoir. Infini. Mon égoïsme pur. Mon infaillible lâcheté. J'ai fait ça comme une grande. C'est le silence de Simon qui a mis le feu aux poudres. C'était devenu insoutenable de le voir si impassible, si maître de lui-même. Comme si je ne l'atteignais plus. Depuis, le cœur a chuté de son piédestal. Le thé a refroidi dans les tasses. Le soleil inonde les murs, le plancher de l'appartement, le lit...

Je suis morte, j'en suis sûre. Je me suis pincée. Je suis morte.

Après une nuit sans sommeil, je lui ai dit : Choisis. Il avait prévu rester presque deux mois. J'avais été incapable d'en être vraiment heureuse. Avant toute chose, il me fallait sauver ma peau. Il a subitement eu l'air coincé entre les couvertures. Il s'est relevé sur un coude pour vérifier si j'étais sérieuse. Quand il a vu que je l'étais, sa poitrine s'est affaissée en un soupir et il s'est laissé retomber sur les oreillers.

J'ai insisté : Choisis.

J'avais décrété que ce n'était pas une vie. Je renonçais – oui – à sa peau, à ses cheveux, à ses mains, à sa belle folie, à son intégrité, à ses cartes postales, à ses silences... Je renonçais à mes rêves, à l'apaisement que je trouvais contre son épaule, aux fourmis dans les jambes à la vue de son corps nu, à mes envies de haute voltige, à ses poèmes érotiques improvisés. Non, ce n'était pas une vie d'aimer autant Simon et de vivre les trois quarts du temps avec le souvenir de Simon plutôt qu'avec ses bras qui m'entourent. Sa voix qui me réchauffe. Alors que tout ce dont j'ai envie, c'est de rester au lit avec lui les matins de pluie, de faire l'amour en plein après-midi, de l'entendre respirer. Tout le temps. Car c'est cela être amoureux. Apprendre à connaître quelqu'un. Vivre avec le mal de mer que procure cet océan inquiétant. Ce n'est pas le voir fondre dans la brume à chaque fois que les draps se sont saturés de ses odeurs.

Il s'est levé pour s'habiller. Je ne sais pas pourquoi j'ai été surprise de son geste, mais ça m'a fait l'effet d'un électrochoc. Il a enfilé ses pantalons kaki. Dans la lumière de l'aube, il avait presque l'air paisible. Comme si depuis le début de l'histoire, il n'avait fait qu'attendre ce signal. Avec ses cheveux retombant librement sur ses épaules nues. L'idéogramme chinois désignant la Liberté tatoué sur son omoplate gauche. Le cliquetis de son collier de grains de café. J'étais éblouie. Il fouillait la pièce du regard à la recherche d'une chemise, d'un chandail, d'un alibi... La scène était parfaite. Je scrutais le moindre de ses gestes dans l'espoir qu'il en esquisse un dans ma direction. Au fond, j'avais voulu savoir s'il m'aimait. Maladroitement. Et je n'avais réussi qu'à lui rogner les ailes comme à l'oiseau qui m'aurait tenu lieu d'animal domestique. Simon. Il a mis de l'eau à chauffer pour le café tandis qu'il enfilait ses chaussettes. J'ai dit : Simon.

Et c'est à peine s'il a levé les yeux vers moi. J'ai répété : Simon. Il s'est penché pour prendre sa chemise. Puis il est allé mesurer le café. J'ai paniqué. J'aurais voulu lui dire que je l'aimais. Que j'étais désolée. Que c'était insensé de dire des choses pareilles. J'aurais voulu m'approcher de lui, le toucher, le prendre dans mes bras. Lui raconter n'importe quoi. Mais j'ai compris qu'il n'y avait plus rien à faire. Le verdict était tombé. L'édifice de l'amour subissait la lente altération du temps. J'avais jeté de l'huile sur ce feu qui couvait en lui. Et l'incendie était maintenant hors de contrôle. Je n'aurais jamais dû dire cela.

Je suis sortie du lit pendant qu'il terminait de s'habiller. J'ai senti mon cœur s'arrêter lorsque j'ai posé le pied sur le plancher. J'ai senti que je regagnais un monde hostile. J'ai compris que tout m'avait échappé depuis le commencement de l'histoire. Je me suis retrouvée nue dans le petit matin. Épuisée. Désertée. Sans vie. Il aurait fallu que je m'enveloppe dans quelque chose, mais j'avais trop froid pour bouger et je ne pouvais quitter Simon du regard. Il a versé l'eau frémissante sur le café. Il a laissé le liquide infuser quelques insuffisantes secondes avant de s'en verser une tasse. J'ai marché jusque dans l'atelier, croyant trouver là un impossible repos. J'ai entendu Simon lancer sa tasse contre le mur. Et la cafetière est allée la rejoindre quelques secondes plus tard. J'ai fermé les yeux en frissonnant.

Il se trouvait devant moi quand je les ai rouverts. Sa chemise était mouillée de café. Il avait attaché ses cheveux. Mon corps grelottait au contact de l'air. J'avais l'impression d'être hors de moi. Lorsque j'ai voulu poser mes mains sur sa poitrine, il a esquivé.

— Dis quelque chose, Simon.

— Je t'aime, Manue. Mais toi, tu comprends pas, tu peux pas me demander de choisir...

«Je t'aime Manue.» Il l'avait dit. C'était la première fois qu'il le disait. J'aurais voulu que ces trois mots sortis de sa bouche aient été le seul événement du matin. Je t'aime, Manue. J'ai senti le poids du monde me tomber d'un seul coup sur les épaules. J'aurais voulu lui demander de le répéter : Je t'aime. Mais j'ai été incapable de quoi que ce soit. C'est à peine si j'ai fait un geste au moment où il a pris son sac. Il aurait fallu qu'il le redise. Il s'est retourné vers moi. Il tenait ses bottes dans une main et s'est avancé pour m'embrasser. Mais il s'est souvenu qu'il ne devait plus le faire. Il est resté immobile quelques secondes, dos à moi, comme s'il espérait que je trouve les mots parfaits. Mais je n'ai rien dit.

Il est parti sans claquer la porte.

* * *

Des kilomètres et des kilomètres de forêt vierge, de morsures d'étoiles, de noyaux d'abricots et de sable brûlant. Des litres de tequila, un collier de haricots, et le signe chinois Amour tatoué au-dessous de la Liberté.

Je mesure ton abandon à l'amplitude des grands arbres. Je ne sais plus ce que je dois dire. Faire.

Je pourrais sans doute marcher jusqu'à la fin du siècle. Et la saison des pluies qui commence à peine...

S.

UNE

Mars

J'ai retrouvé l'étranglement de la routine avec un aveuglement irréprochable. Je parviens à peindre presque tous les jours, avec une discipline que je ne me connaissais pas. Je me lève aux aurores, je noie mon tourment dans le travail et les litres de café corsé. Je me couche très tard après avoir bu un verre de vin, bien mangé, écouté plein de musique. J'ai lu des Sherlock Holmes et des nouvelles d'Edgar Allan Poe pour me changer les idées et j'ai commencé à me rouler des cigarettes avec de la menthe, de la sauge et du tabac comme le faisait Simon. Je marche beaucoup.

J'ai des projets. À la toute fin de l'automne, je me suis liée d'amitié avec un groupe de musiciens qui s'installait toujours au parc. Avec eux, les choses m'avaient paru si simples tout d'un coup : révolte, liberté et plaisir. Leurs trois mots d'ordre. Ils avaient envahi les cafés de la ville avec l'hiver. Et je m'étais jointe à eux, tout naturellement. Nous avions parlé de révolution, de poésie, de nuages et de grands espaces. Quand l'hiver s'est mis à rallonger ses heures de lumière, certains ont commencé à parler de remonter dans le Nord. Ils m'ont appris qu'ils passaient l'été sur la terre d'un de leurs camarades qui possédait un verger et d'immenses jardins. Ils dormaient dans des granges aménagées, travaillaient dur jusqu'au mois de novembre et célébraient la vie autour de grands feux.

Parfois, les agriculteurs des alentours leur demandaient un coup de main pour un jour ou deux. Pendant la saison, ils gagnaient juste assez d'argent pour qu'il leur reste de quoi vivre un mois ou deux ensuite. Ils m'ont demandé si je souhaitais me joindre à eux. Ils partaient, deux semaines plus tard, pour la fin des sucres et les premiers préparatifs de la saison estivale. J'ai accepté sans réfléchir. Je m'étais mis dans la tête d'apprendre la terre. Dixie, la mandoliniste et la plus sombre du groupe malgré son jeune âge, s'était avancée vers moi, l'air sérieux :

— Tu vas voir, si ça te plaît, ça va te transformer. Ça va t'apprendre à vivre.

Et j'ai pensé qu'elle n'avait pas tout à fait tort. Ça ne me ferait sûrement aucun mal d'apprendre la culture des pommes et le repiquage des plants de jalapeños. La récolte des fleurs de lavande et le semis des haricots. J'étais ravie. C'est un peu comme si j'allais apprendre la langue de la terre que parlait couramment Simon.

Simon. Dissipé comme un rêve. Il a fondu dans le brouillard comme à la fin de *Casablanca*. Il appartient désormais au courant des jours gris qui fuient au bas des pages de calendrier. À vrai dire, comme il n'a jamais vraiment été là, ça change peu de chose à l'histoire. Sinon qu'il ne sert plus à rien d'attendre son retour. Il a toujours semblé plus intéressé par l'énumération de ses futures destinations que par sa présence ici. Le présent s'est toujours conjugué de curieuse manière avec lui. Et pourtant, il me manque. Sauvagement.

Car je l'aime encore. Je le retrouve inscrit dans chaque parcelle de mon esprit. Dans chacun de mes gestes. Autant dire partout. Tout le temps. Son sourire. Son regard. Ses mains ses cheveux ses fesses. Mais c'est devenu inutile. Il ne me reste plus qu'à retirer le couteau de la plaie et espérer qu'elle se referme au plus vite. Et les grands jardins du Nord se présentent comme l'occasion rêvée de passer à autre chose. Un jour, Jonas est monté chez moi avec son bébé dans les bras. Et j'ai pleuré face à tant de fraîcheur, de pureté. Léa. Jolie petite crevette. Mon cœur s'est gonflé et j'ai pensé qu'il allait crever dans ma poitrine. Petite fille. Jonas m'a serrée très fort en m'annonçant qu'il allait se marier avec Lennie. Mon Jonas à moi – mon beau prince –, avec son sourire et son air ravi, me donnait des envies de sauter à pieds joints dans la vie. D'être amoureuse. De quelqu'un qui voudrait de moi. De quelqu'un d'autre que Simon. J'en ai pleuré pendant des jours. J'ai finalement réuni les papiers nécessaires à l'obtention de mon passeport. On ne me prendrait pas de court la prochaine fois. Plus jamais, d'ailleurs. *Nevermore.*

J'ai toujours cru que mars était le pire mois de l'année. Saison entre deux chaises avec un peu de soleil et trop de pluie, le ciel embué de neige encore. Les jours qui s'étirent toujours. La terre qui nous fait des promesses de printemps avec la glace des toitures qui fond et ces carrés d'herbe jaunie qui se dénudent. Mais l'hiver nous informe qu'il n'a pas achevé encore son ouvrage en nous jetant à la figure une bonne bordée de neige. Et nous voilà repartis pour un long calvaire jusqu'en mai.

Au fil des jours, je m'érige une sorte d'ermitage douillet. L'amour m'a fait prendre un coup de vieux. Je fais davantage attention à ce que je mange. Je me sens plus calme. Je ne pense presque plus à l'argent. Je n'écoute presque plus la télé. J'emprunte des piles et des piles de livres à la bibliothèque et je n'écris jamais dedans. J'apprends à regarder les nuances de tons du ciel ou le mouvement que confère aux plus hautes branches des arbres une brise de midi. Je ne parle jamais de Simon. Même si c'est de tout mon corps

111

que je le cherche dans le bruit du monde – oui – et que ma tête continue de le nier. Lorsque je pose mes mains sur mon ventre, je me fais croire que ce sont les siennes. Mais mes yeux rapidement se brouillent et je m'endors avec comme le goût de la tristesse sur ma langue. Il m'habite corps esprit et âme. Lorsque je perçois un bruit de pas dans l'escalier, je me raconte que c'est son pas, qu'il ne m'a pas complètement quittée. À chaque silhouette échevelée qui se profile au loin, mon cœur s'enlise et je me dis que le temps est revenu au clair. Mais bien vite, je dois me rendre à l'évidence : il ne reviendra pas. Puisque c'est moi qui lui ai tracé le chemin hors d'ici.

Et je reprends mon errance dans le cœur du monde. Je marche à moi-même dans cette ville qui m'enserre. Le ciel, au-dessus de ma tête, me donne le vertige. Je n'attends plus rien. Sinon l'illumination d'une prochaine rencontre ou d'un défi à relever. Parfois, il m'arrive d'atteindre presque des sommets de grâce en goûtant à tel café de la brûlerie, à tel sandwich, à telle bière. Mais le temps fractionné se resserre presque aussitôt, et je me retrouve avec cette brûlure dans ma gorge, dans mon ventre, dans tout mon corps.

À force d'avancer, je mesure à quel point nous sommes fragiles. Friables comme ces feuilles arrachées aux arbres par les vents de novembre. Le cœur fin comme un papier de soie, prêt à se déchirer toujours. Si peu vivants malgré le sang qui irrigue nos veines. Je me dis que je pourrais l'aimer toujours, Simon. Mais que maintenant, c'est trop tard.

Manue

L'horloge marque cinq heures tandis que j'émerge des hautes sphères de la veille. À l'est, le ciel de nuit s'est strié d'indigo, d'abord, puis de bleu plus clair. Je suis épuisé. Ça doit faire 48 heures que je n'ai pas dormi. Je ne sais plus. J'ai oublié. Avec toutes ces heures passées à parler avec ma sœur, à pleurer avec ma mère, à courir dehors avec mes neveux, à boire jusqu'à plus soif sur les chemins salés du Mexique. À marcher. Marcher encore. Sans fin. Toutes ces heures passées à me battre contre mon souhait que tu sois là pour me tenir compagnie – car la déroute fut exemplaire à vouloir m'en fracasser le crâne dans la vitrine d'un imbécile magasin de poupées... À oublier que maintenant je ne devais plus espérer demander asile à tes bras. À te maudire à force de tant t'espérer.

Donc, mon père est mort. Avant que j'aie pu enterrer la hache de guerre avec lui ou que je lui foute la plus monumentale des raclées aux échecs. Et je m'étais juré de te laisser – TOI – moisir dans ton placard bien éclairé, puisque toi aussi tu m'avais laissé tomber comme le dernier des vauriens. Mais dès que j'ai franchi la frontière, j'ai su que j'allais chercher à te voir, à remonter jusqu'à toi – appelé, que j'étais. Après la tempête, l'aiguille de la boussole retrouvait le nord. Quand j'ai fermé le couvercle du cercueil sur le corps de mon père. Quand mon neveu a entouré mon cou avec ses bras trop courts. Quand les larmes de ma mère m'ont fait trembler jusqu'à la moelle, j'ai compris qu'il fallait que tu m'aimes encore. Que tu étais ce qui me restait d'ancrage, mon dernier lien avec le monde des vivants. Je savais que je ne retournerais plus au Mexique. J'avais fait mes adieux à la *cooperativa*. Ma mission dans la forêt lancadone était accomplie, terminée, classée. Plus rien ne m'attendait : que toi. Tu étais devenue mon unique destination. Mon port. Il fallait que je te rejoigne sur les chemins barbares de cette terre. Il fallait que je te goûte à nouveau. Il fallait que cesse la blessure de l'absence.

Septembre

J'étais rentrée depuis deux jours et le grand air me manquait déjà. Les soirées à ciel ouvert, le lever aux aurores, les *asados* préparés par les Argentins, l'alcool de prunes, le goût des légumes mûris au soleil, le parfum des herbes, le rire des enfants, les amitiés nouvelles s'illuminaient en moi comme des souvenirs impérissables. Je dormais sur le balcon et trouvais mille prétextes pour sortir marcher. L'odeur de la terre me manquait. Et aussi l'interminable bal du chant des oiseaux du matin au soir.

J'avais rapporté dans mes bagages un chaton noir avec une tache blanche sur le front, des herbes séchées, des conserves pour une année et un oubli presque parfait de ma vie d'avant le séisme. Lorsque j'ai poussé la porte de l'appartement, j'étais bien décidée à me refaire. J'ai tout lavé, j'ai repeint les murs de l'atelier en jaune tournesol. J'ai acheté quelques plantes, un globe terrestre et des dizaines de tubes de couleur. J'ai acheté une carte de l'Espagne, du thé à la rose, un disque de flamenco et un livre de jardinage.

Je n'avais pas eu de nouvelles de Jonas depuis mon retour. De lui, rien qu'un vieux message qui datait d'au moins un mois. De Simon, du vent. Il ne me restait qu'une chemise, une boîte de condoms sous le lit, une anthologie de poésie chinoise que j'ai insérée entre mes livres, un sac de figues séchées et du café en grains dans l'armoire. Je me suis dit que je n'avais qu'à jeter par la fenêtre tout ce qui lui avait appartenu pour que je sois enfin débarrassée de lui. Mais j'ai vite compris qu'il faudrait que je me jette avec. Alors je suis descendue à la rue avec mon vélo. J'avais besoin de gonfler d'air mes poumons. J'avais besoin de rouler vite. J'avais envie du vent qui me fouetterait les joues et les cheveux. J'avais envie de remuer l'air vicié de mon ancienne vie. Envie d'être seule avec mes envies de risquer ma peau. Il serait toujours temps de me lancer dans des incantations vaudou pour me guérir de lui.

Tandis que je m'apprêtais à enfourcher mon vélo, Jonas a tourné le coin de la rue. Et je lui ai lancé un grand bonjour plein de soleil qui a traversé la rue. Il a levé les bras au ciel et a couru vers moi. En effectuant un bref calcul mental, j'ai vite constaté que ça faisait presque six mois qu'on ne s'était pas vus. Il m'a embrassée sur le front avant de me serrer longuement dans ses bras en me soulevant de terre. Il me proposait une promenade. J'ai attaché mon vélo au premier parcomètre venu et j'ai glissé mon bras sous celui de Jonas.

J'ai posé ma tête sur son épaule. J'étais contente de retrouver sa belle stature rassurante. Il est demeuré silencieux pendant quelques instants, l'air de vouloir me laisser toute la place. Mais je n'avais rien à dire. J'étais ravie de pouvoir seulement me gaver de sa présence, de l'odeur épicée dans son cou. Plutôt, je lui ai proposé d'aller lancer des cailloux dans la rivière. Jonas préférait qu'on aille s'asseoir dans un café pour discuter. Et il insistait pour me lire des passages de *L'homme rapaillé* qu'il traînait avec lui.

Je n'ai pas osé proposer autre chose que la lecture des poèmes. Pas la force de le faire, du moins. Trop dépenaillée à cause de ce brusque retour au cours normal des choses. Dans le ciel, quelques nuages couraient nonchalamment. Et la rue nous appartenait. À Jonas, surtout. Qui s'était dégagé de mon étreinte et sautillait entre les lignes du trottoir. Il parlait de son enfant avec plein de rires dans la voix et de lucioles dans les yeux. Ça me faisait sourire de le voir si bien. Pour la première fois, je sentais que j'étais vraiment heureuse pour lui et j'avais envie de lui dire d'en profiter à fond. Il a tiré le livre de sa poche, l'a ouvert au hasard pour partager avec moi le bonheur inutile de quelque phrase bien envoyée : *parfois dans la foule surgit l'éclair d'un visage / blanc comme fut naguère le tien dans ma tourmente.* Il y a trop d'amour dans ce livre, me dis-je mentalement. Et Jonas s'est perdu dans un grand éclat de rire. Moi, j'ai reconnu la crasse sur la page couverture et les gribouillis qui constellaient les marges. J'ai reconnu Simon et j'ai fermé les yeux.

Nous évitions d'aborder le sujet crucial. Nous le savions tous les deux. Nous ne disions rien pour ne pas ébranler les murs de ces fragiles retrouvailles. Je longeais des yeux la ligne du trottoir, prise de vertiges. Jonas a glissé de nouveau son bras sous le mien. Nous avancions dans la monotonie de ces rues que je retrouvais avec un peu de tristesse. Comme si je n'étais plus tout à fait d'ici. Comme si je ne voulais pas vraiment être là. Il ne fallait plus que je pense à Simon. Non, il ne fallait plus. J'avais cessé de compter les jours et je me priais intérieurement de reprendre une sorte de vie. Puis, c'est tombé…

— Simon est en ville.

J'aurais tellement voulu que Jonas ravale ses mots et recommence à déclamer des poèmes à ces trottoirs incultes. J'espérais maintenant retrouver mon vélo, que je puisse remonter chez moi et m'y enfermer pour le reste de la journée. Simon. Simon. Simon.

— Je veux pas en entendre parler.

Je ne voulais pas qu'il me parle de Simon. Mais je ne pouvais me défaire de cette idée : si Simon était en ville, c'était pour moi. Puisque rien d'autre ne l'appelait ici, il me l'avait répété trop de fois pour que je m'y trompe. Puisqu'il détestait si férocement cet endroit sans envergure. Et je n'étais pas certaine d'avoir envie de le rencontrer par hasard. Je n'aurais rien à lui dire, moi. J'essayais de me convaincre depuis des mois qu'il était mort pour moi le jour où il avait quitté ma vie. Que ce frémissement sous ma peau, ce chatouillement dans mon ventre, cette soif immense que j'avais de lui appartenaient désormais à mon histoire ancienne. Que le souvenir de la courbe de son front, de la chaleur de sa peau, de sa voix dans mon oreille, je l'avais expédié au royaume des mirages. «Et si tout était aussi simple», me disais-je. S'il s'agissait seulement de larguer comme une bombe le souvenir de Simon dans les premières feuilles mortes et les mégots qui constellaient le trottoir, je serais sauvée.

Je n'entendais même plus Jonas me raconter n'importe quoi lorsque j'ai aperçu un profil connu plus loin devant nous. J'avais l'impression de rêver. Un vol d'oies blanches a choisi cet instant précis pour lâcher au-dessus de nos têtes la tristesse de son cri. J'ai levé les yeux vers le grand V d'argent que les oies dessinaient sur le bleu translucide du ciel. Je savais que c'était lui. Mon corps tout entier le reconnaissait. Je voulais disparaître. Je voulais à la fois courir vers lui et me défiler. Mais à chaque pas, la deuxième option devenait impossible puisque lui-même nous avait vus et courait déjà vers nous.

Il est arrivé à notre hauteur à bout de souffle, l'air fatigué. Il avait une gueule de voyou avec sa barbe de quelques jours, des cernes noirs sous les yeux, la peau de son visage et de son cou tannée par le soleil. J'aurais voulu essuyer la sueur qui perlait à la limite de ses cheveux, mais j'étais clouée sur place. Abasourdie. S'agissait-il donc simplement de l'évoquer pour qu'il apparaisse ? Non, c'était impossible. Son sac, son chapeau, ses cheveux de fou, tout pourtant y était, comme aux premiers jours de nous deux. Une douleur fauve couvait dans son regard. Un mince sourire ravi se dessinait sur ses lèvres.

J'ai détourné le regard. Jonas en a profité pour lui raconter quelques vétilles auxquelles je n'entendais rien. Je ne pouvais pas croire qu'il était là devant moi. J'ai fermé les yeux pour annuler ma présence de cette scène absurde. Sans pour autant parvenir à me défaire de l'image de cette aube pâle où il était parti, tout encore drapé de sommeil, rompu par le combat sans règles que l'on venait de se livrer. Beau comme un homme seul. Je venais de le mettre à la porte. Mais c'est quand même lui qui me quittait. Quand j'ai rouvert les yeux, les deux gaillards se serraient chaleureusement la main. Jonas tendait à Simon le livre de Miron dans lequel il avait prélevé les quelques extraits qu'il avait partagés avec moi. Jonas m'a embrassée sur la joue. Il a cherché mon regard, l'air de vouloir dire : « Ça ira. » J'aurais aussi bien pu l'étrangler que l'embrasser sur la bouche tellement je me trouvais dans un état entre stupeur et ravissement. Mais il était trop tard. Il s'est éloigné d'un pas furtif et je l'ai perdu de vue au détour d'une rue, sous des arbres sauvagement élagués.

Dès lors, j'ai perdu le contrôle dans cette histoire. Simon restait immobile devant moi. J'ai croisé son regard et j'ai alors senti que je respirais mieux. Je ne trouvais toujours pas la force de tendre un geste vers lui, mais ça viendrait. J'étais soulagée de le revoir. Presque heureuse de le sentir si égaré en ma présence.

Il a pris une grande respiration et m'a dit :

— J'arrête, Manue... j'arrête.

Je n'étais pas certaine de comprendre le sens de ses mots. Je suis restée de glace. Sans se soucier du lieu de nos retrouvailles, il m'a parlé de la mort de son père. Il a dit qu'il en avait par-dessus la tête de sa fuite. Qu'il avait envie de construire quelque chose. Que je déciderais de son sort. Il a dit qu'il devait bien exister, quelque part, un projet de travail à l'étranger, mais que sans moi, ce n'était plus la peine. Et il a levé les yeux vers moi. Je crois qu'à un moment donné, il a dit : Je t'aime, Manue. Mais je n'en suis pas certaine. Puis ses yeux se sont remplis de larmes et il a effleuré ma joue du bout des doigts. Et alors, il l'a vraiment dit :
— Je t'aime.
Je l'ai tiré par son sac jusqu'à chez moi. Je le sentais à ma merci et j'en étais effrayée. Je me suis dit ça y est, il a perdu pied, il est devenu fou... En chemin, je me suis arrêtée, me suis tournée vers lui et je l'ai embrassé. J'ai posé ensuite mes lèvres sur ses yeux, son front, ses cheveux. Je l'ai embrassé juste derrière l'oreille et je l'ai serré dans mes bras. J'avais retrouvé mon amour.

Simon

Normalement, vers la fin, on sent sa solitude multipliée. Incassable. Intransigeante. Mais un jour, je t'ai trouvé toi comme un caillou sur un trottoir. Ivre de détresse. De pluie. De démesure. Ivre de pureté. Et depuis, je respire, je dors, je marche moins seule puisque c'est toujours avec un peu de toi en moi. Maintenant, je te retrouve. Le cœur éclaté. Avec l'Amour tatoué sur ton bras. Tu t'es doucement lové au creux de mon être et tu y as planté un arbre. Depuis, je sens que je revis. Que je me *rapaille* par bribes. J'ai rouvert les bras et tu t'y es enfoui comme le plus beau des présages. Un jour, j'aurai un enfant de toi, je le sais. D'y penser seulement me donne le vertige. Mais oui, je le veux. Et cent fois, mille fois, un million de fois plutôt qu'une. Mon cœur majuscule te le répète : OUI OUI OUI, et encore OUI. Je le ressens comme une évidence : il me sera désormais impossible de te laisser repartir. Sans moi.

J'ai le nez perdu dans le fouillis de tes cheveux. Je te sens qui respire au même rythme que moi. Je te sens sur moi comme en moi. En moi comme au-dehors je te sens partout jusque dans ma bouche. Tu prends toute la place. Tu occupes tout l'espace. Tu es là, enfin. Tu débordes. Je m'abreuve à la chaleur de ton corps. Je me nourris à même tes équipées sauvages. Je renfloue mes réserves et je reprends pied du centre de mon être pour m'élever encore plus haut que l'ionosphère. Je garde ma main posée sur ta poitrine, incapable de rompre ce pont entre nous. Je caresse ton front, ton menton, tes épaules. Je te regarde dormir. Mon amour. Te voilà donc, me dis-je en égrenant les grains de café de ton collier comme pour dire un chapelet. Et tes mots qui me reviennent : J'arrête, Manue... j'arrête. Et je comprends ce que tu as voulu me dire. Tu refuses de me perdre. Rien que d'y penser, dix mille incendies s'allument dans mon esprit, dans mon ventre, dans mon corps entier. Je pose mes lèvres sur ton épaule. Puis une vague impression qui se précise vient brouiller le tableau ; une conviction immense, une sentence presque : tu ne peux t'arrêter. Ce serait te tuer, ce serait définitivement te perdre. Et je sors du lit pour ne pas tout gâcher.

J'ai l'impression d'avoir traversé une longue période d'aveuglement et de revenir lentement au monde. J'enfile ta chemise noire d'étoffe rude en roulant les manches jusqu'aux coudes. Je songe un instant à aller mélanger des couleurs sur la palette, question d'y voir plus clair. Et puis, non. Pour l'instant, ça ne servirait à rien. Mes sentiments sont encore trop vifs, trop bruts. Je dois apprivoiser ces images, assimiler les émotions, valider ce constat avant de penser à faire quoi que ce soit. Je mets de l'eau à bouillir pour préparer du thé ou du café – c'est sans importance, pourvu que ça m'occupe un instant. Je te regarde. Je sens mon désir pour toi vaguement apaisé, comme en suspens. Non, en attente. Mais je le sens qui gonfle mon ventre et qui m'emplit comme s'il était devenu une part de moi-même. Je t'aime sans défaillir. J'ouvre la fenêtre pour laisser la nuit pénétrer en douceur avec son souffle frais et ses odeurs d'asphalte mouillé. Un frisson me parcourt le corps. Une mouche insomniaque se cogne à répétition contre la vitre dans un léger murmure, comme un chuchotement. Il est trois heures du matin. Je me dis que ce serait simple d'accepter que tu habites mes quatre murs. Tout près. Mais quelque chose en moi refuse de te voir perdre ta fougue, cette quête perpétuelle de l'inconnu qui te projette constamment vers l'avant. Pour l'instant, du moins. Je me rends à la cuisine pour retirer l'eau du feu. Ce sera du thé au jasmin finalement. Je le prépare en me disant que ça m'éclairera l'esprit. Je ne ressens plus la fatigue. Je me sens invincible maintenant que tu es de retour. Je regarde le lampadaire et le vent jouer dans les ramures du tilleul. Je vais allumer la radio dans l'atelier en attendant que le thé infuse. J'effleure au passage mes livres du bout des doigts – Anaïs Nin, Durrell, Kerouac, Dostoïevski, Éluard, Carver, Poulin, l'*Anthologie de la poésie chinoise* – que tu avais oubliée, un jour, sous le lit –, London, Kropotkine, Marx, Thoreau, Bouvier, Pessoa comme des emblèmes, les piliers tranquilles d'une pensée de l'errance immobile qui trace vaillamment en moi son sillage. Je m'assure que l'humidité est suffisante dans le pot du citronnier, je fais un bref inventaire de mes disques en ne pouvant faire autrement que de constater que j'en ai trop. Car oui, à cet instant précis de mon existence, je me trouve pitoyable avec ma petite vie surpeuplée d'artefacts. Vraiment pitoyable. Comme si pendant vingt et quelques années, j'avais fait comme tout le monde en amassant des objets, passant ainsi à côté de la vie elle-même. De retour à la cuisine, je me verse une tasse de thé et je pense à toi. Que j'ai failli te perdre. Un frisson me parcourt l'épine dorsale. Je ne veux plus courir ce risque. Je ne peux plus. Me vient alors la certitude que je dois partir avec toi. Vaille que vaille. N'importe où. N'importe quand, mais partir, prendre mon envol. Te suivre. Quitter ma tête. Mon passeport n'attend que cela depuis les mois qu'il a passés dans mon tiroir. Et moi, je n'attendais que toi.

Je prends une gorgée de thé. Je cherche un crayon et du papier. Car même si tu es là, enfin tout près, je préfère t'écrire. Parce que parler c'est vivre et que je ne sais pas vivre… me dis-je en dénichant un crayon à encre bleue dans le fauteuil qui me tient lieu de salon. Et j'ai pris deux heures de ma vie pour écrire ma plus belle lettre d'amour. Puis il a fallu que je sorte. Prendre mon élan. Respirer la vie qui émergeait de la nuit. Cette vie nouvelle qui se dépliait comme une carte du monde sous mes pas. Je t'ai embrassé sur la joue. Et avant de refermer derrière moi la porte, j'ai noté au revers de la page : *trois cents oies blanches ont dénoué leurs ancrages…* avec un étonnant sentiment d'accomplissement.

* * *

Une lueur bleutée inonde l'appartement. Ce doit être la pleine lune, me dis-je. Mais en ouvrant les yeux, je constate que c'est l'aube qui déborde par les fenêtres sans rideaux. Une odeur de thé au jasmin me tire complètement du sommeil. Le silence des murs m'assaille et je note que Manue est partie.

Une vague panique me serre la gorge ; la peur me monte à la tête comme à un enfant qui mesure d'un coup l'épaisseur de la noirceur qui l'entoure. J'allume la lampe de chevet pour déjouer le cauchemar que je me raconte. «Je me suis trop avancé, c'est ça…» me dis-je en apercevant, au même moment, des feuilles de papier pliées en trois couvertes de son écriture bleue à elle.

C'est à peine si je suis soulagé en parcourant son chemin de mots. Je suis déjà prêt à l'abandon. Je me

124

prépare à pleurer. Parce que c'est tout ce dont j'ai conscience en ce moment : de la source intarissable de larmes qui sommeille en moi et qui dernièrement s'est mise à jaillir au moindre prétexte. Mais à chaque ligne qui se déroule sous mes yeux, je découvre la faculté étonnante qu'elle a de raconter les choses avec des mots qui me tirent un sourire.

Lorsque je termine ma lecture, je replie les papiers et j'attends que l'enchantement opère. Le cœur en plein vol comme les outardes qui partent vers le sud en automne et retournent se baigner dans l'Arctique au printemps. Mes yeux se mouillent de larmes. Nu dans la lumière d'un matin sans fin, je prends une gorgée de thé dans la tasse que Manue a laissée sur le bord de la fenêtre. Je parcours à nouveau de mémoire ses mots et me dis que la journée sera bonne :

Je porte en moi ton image comme ma seule chance de survie. Je me tourne vers elle en une formidable envolée, emportant tout de même sous mon aile la frousse de la grande tombée.

Je t'annonce la fin des hostilités. Car j'abdique.

La démence de ton corps à même ma chair tatouée. Et lorsque tu t'éloignes, tu appelles mon cri, ma désespérance... Je t'aime, petit homme. Je t'aime, mon Simon. Mon bel amour, ma déchirure...

Te dire qu'à l'avenir je marcherai avec toi sur tous les chemins. Puisque je refuse maintenant d'être sans toi, j'abolirai partout ton absence dans la poussière du monde ambiant. Je le jure.

Dans cette fin de siècle un peu folle et la nuit qui s'écroule, laisse-moi me faire à l'idée que j'ai choisi de t'aimer.

Manue

REMERCIEMENTS

De tout cœur, merci.

À MarieJo, mon éditrice, pour ton soutien technique, ton amour du métier et toutes tes tentatives de déjouer ma fabuleuse propension à la procrastination.

À Rita et à Isabelle. À ma sœur. À Nancy et à Katy. À Karine et à Marie-Claire. À Karelle, à Emma, aux Geneviève, à Francine. À Julie. Vos bons mots, vos sourires et votre présence à mes côtés contribuent à faire de ma vie un territoire habitable et de moi une femme meilleure. Je vous aime.

OUVRAGE RÉALISÉ PAR
LUC JACQUES, TYPOGRAPHE
ACHEVÉ D'IMPRIMER
EN AOÛT 2011
SUR LES PRESSES
DE MARQUIS IMPRIMEUR
POUR LE COMPTE DE
LEMÉAC ÉDITEUR, MONTRÉAL

DÉPÔT LÉGAL
1re ÉDITION : 3e TRIMESTRE 2011
(ÉD. 01 / IMP. 01)